P9-BYV-804

HIGHWOOD PUBLIC LIBRARY
102 Highwood Avenue
Highwood, IL 60040-1597
Phone: 847-432-5404
MAR 1 7 2015

QUÉ ME DICES DE...

HIGIENE PERSONAL

EDITA
Nova Galicia Edicións, S.L.
Avda. Ricardo Mella, 143 Nave 3
36330 – Vigo (España)
Tel. +34 986 462 111
Fax. +34 986 462 118
http://www.novagalicia.com
e-mail: novagalicia@novagalicia.com

© Nova Galicia Edicións, S.L.
© Carlos del Pulgar Sabín
© Ernesto Smyth Chamosa

Depósito legal: VG 828-2007
ISBN colección: 978-84-85401-03-1
ISBN volumen: 978-84-96950-56-6

IMPRESIÓN
Artes Gráficas Diumaró

EDITOR
CARLOS DEL PULGAR SABÍN

DIRECCIÓN Y COORDINACIÓN
ELISARDO BECOÑA IGLESIAS

AUTOR DEL LIBRO
ERNESTO SMYTH CHAMOSA

FOTOGRAFÍA
NOVA GALICIA EDICIÓNS

DISEÑO Y MAQUETACIÓN
NOVA GALICIA EDICIÓNS

INFOGRAFÍA
NOVA GALICIA EDICIÓNS

TRADUCCIÓN Y REVISIÓN LINGÜÍSTICA
NOVA GALICIA EDICIÓNS

Copyright © Queda prohibido, salvo excepción prevista en la ley, cualquier forma de reproducción, distribución, comunicación pública y transformación de esta obra sin contar con la autorización expresa del editor (titular de la propiedad intelectual de esta obra). La infracción de los derechos mencionados puede ser constitutiva de delito contra la propiedad intelectual (Art. 270 y siguientes del Código Penal). El Centro Español de Derechos Reprográficos (CEDRO) vela por el respeto de los citados derechos.

HIGIENE PERSONAL

Ernesto Smyth Chamosa

HIGHWOOD PUBLIC LIBRARY
102 Highwood Avenue
Highwood, IL 60040-1597
Phone: 847-432-5404

NOVA GALICIA EDICIÓNS

QUÉ ME DICES DE...

Títulos de la colección

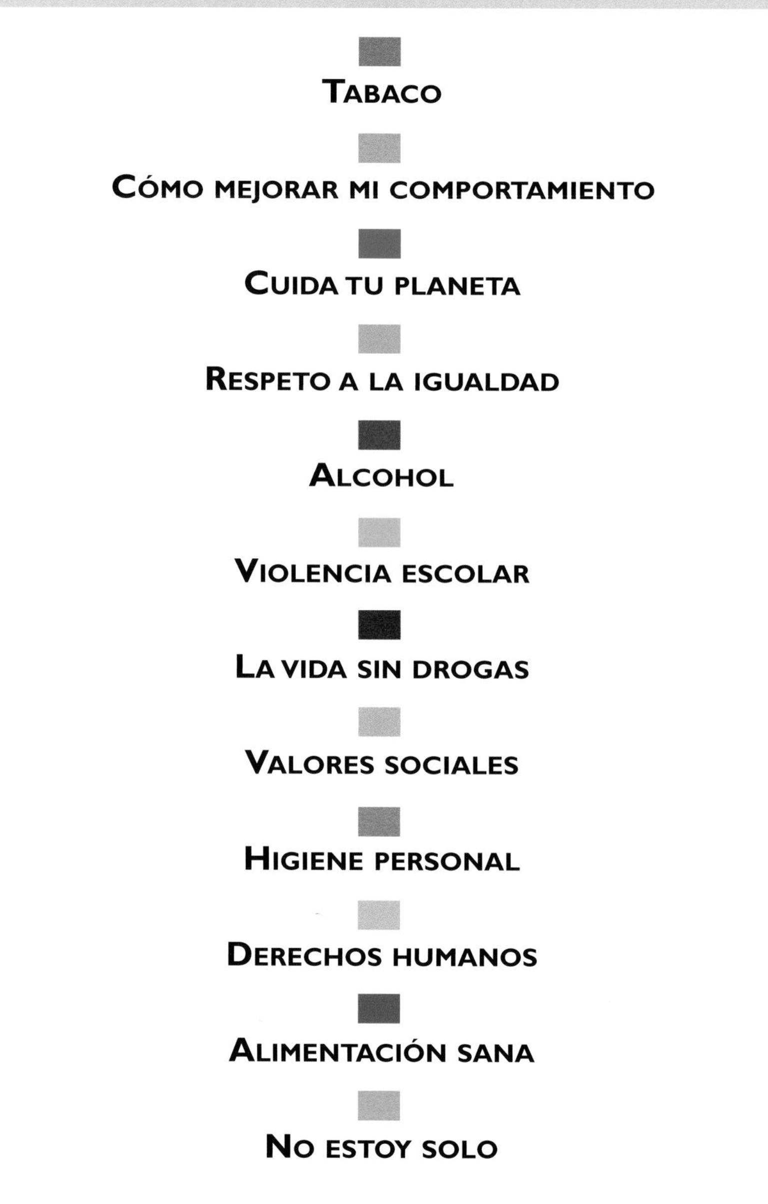

ÍNDICE

Introducción

La higiene personal comprende un conjunto de medidas que nos sitúan en las mejores condiciones para enfrentarnos a los riesgos presentes del medio ambiente, reduciendo el contacto con la suciedad y los microorganismos. Con la higiene se produce una sensación de bienestar personal, facilitando las relaciones con las demás personas.

Pero no podemos pretender vivir en un medio sin microorganismos, pues existen muy diferentes tipos (bacterias, virus, hongos, parásitos o priones) y no todos son malos para las personas. Los microorganismos patógenos pueden producir enfermedades cuando son muy agresivos, si están en un número suficiente o si los sistemas de defensa de nuestro organismo no funcionan. Por otro lado, los microorganismos no patógenos no sólo no producen enfermedades sino que algunos son beneficiosos para las personas, ayudándonos en procesos como la digestión y en la fermentación de los alimentos.

Con la ausencia de higiene proliferan todo tipo de microorganismos, por lo que es posible que surjan enfermedades. Esto puede afectar tanto a la persona que las sufre como a su entorno: un niño enfermo puede contagiar a los compañeros.

Además, también puede tener una componente de rechazo social importante: el aspec-

to sucio de una persona nos puede hacer pensar de modo negativo sobre ella.

Las medidas de higiene van más allá de lo que son las medidas de limpieza y aseo corporal ya que incluyen aspectos como el ejercicio físico, la alimentación, el descanso y la higiene del medio donde vivimos. La limpieza de los individuos y del medio ambiente están unidas y constituyen las herramientas fundamentales para la prevención de muchas enfermedades.

A pesar de que comprenden actividades sencillas, como el lavado de las manos, la ducha del cuerpo o la separación de la basura en origen, muchas veces son díficiles de poner en práctica ya que necesitan unas condiciones ambientales y sociales adecuadas. No llega con tener el conocimiento de las medidas de higiene, es preciso estar motivado con respecto a ellas, se debe disponer de un ambiente adecuado para ponerlas en práctica y contar con los medios materiales y la organización de las actividades para realizar.

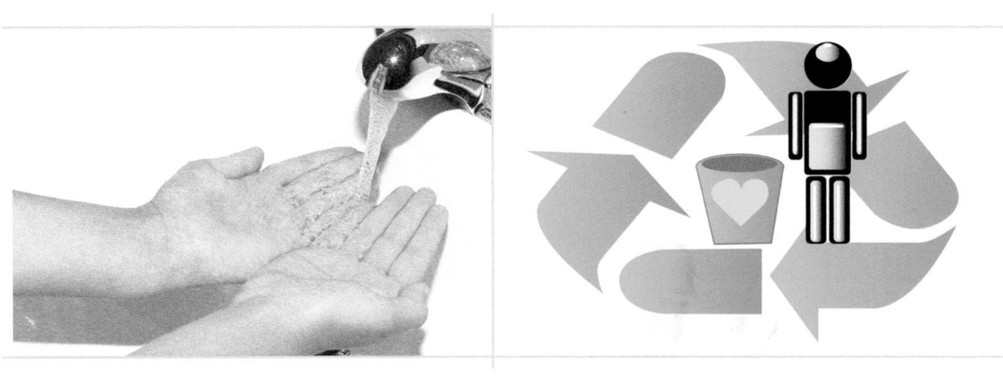

La higiene persoal es un componente esencial de nuestra existencia, se adquiere y se desarrolla continuamente a lo largo de la vida, con la familia, en la escuela, con los amigos o en el medio de trabajo. Después, cada persona es la responsable de su puesta en práctica y lo que se pretende es que surja de modo automático en el día a día de las personas. Pero la limpieza no puede ser una obsesión, no se puede pensar que únicamente la limpieza es buena y la suciedad es mala. Más que evitar que los niños se ensucien, o ensucien, lo que se debe procurar es que aprendan a limpiarse y a mantener el entorno limpio, como una actividad más, de modo que el hecho de lavarse no tenga que ser una obligación ingrata e impuesta, sino que sea algo que nos haga sentir a gusto.

Todos sabemos que la higiene oral evita ciertas enfermedades de los dientes, pero esto no supone que la hagamos siempre, y menos si no se dispone de agua o cepillos para hacerla.

¡Qué limpios éramos antes!

A lo largo de la historia de la humanidad hubo importantes cambios en el conocimiento y empleo de las medidas de higiene.

Los primeros asentamientos humanos se situaban cerca de los puntos de agua, pero al crecer las poblaciones, poco a poco se fueron alejando de los puntos de agua y surgió la necesidad de transportarla hacia los nuevos asentamientos. Culturas como la de los romanos, griegos, árabes o aztecas desarrollaron importantes medidas de higiene personal y de la comunidad y formaban parte de los rituales religiosos y de placer. Los romanos hicieron grandes obras de ingeniería para el almacenamiento y transporte del agua (pantanos y acueductos) y desarrollaron importantes medidas de saneamiento e higiene personal (en los teatros había letrinas en las que el agua corría por debajo arrastrando los residuos). En las villas había baños comunitarios adonde la gente acudía periódicamente a lavarse. En los palacios, conventos y en las casas de gente pudiente tenían aljibes para el agua. En algunos casos se construía de modo que los ríos pasasen por el interior de conventos o palacios y para traer el agua de lejos construían canalizaciones de madera, de piedra o las picaban en las propias montañas.

La preocupación por la higiene no es un problema nuevo de la civilización desarrollada de nuestra época. La palabra higiene proviene de la diosa griega Higienea.

Algunas de estas obras todavía están hoy en uso. Mientras, en las viviendas de la gente más pobre no se disponía de agua, teniendo que acarrearla desde muy lejos. Apenas había unos litros de agua por persona al día, que era empleada principalmente para la bebida y muy poca para la higiene, por lo que tenían más posibilidades de enfermar.

¡Agua va!

En la edad media en las principales ciudades de Europa había baños públicos, que eran lugares de encuentro y ocio donde había letrinas comunitarias.

La gente no tenía el pudor que tenemos en la actualidad y hacían las necesidades juntos. Los excrementos se vertían directamente sobre los establos de los animales y después se empleaban como estiércol para los suelos. Esta costumbre todavía se mantuvo en las aldeas hasta hace pocos años. En las villas los residuos que no se recogían para estiércol se vertían en medio de las calles al grito de "¡agua va!", esperando que después los arrastrase la lluvia, convirtiendo las ciudades en verdaderos estercoleros sucios y hediondos, llenos de ratones y moscas.

Con el renacimiento se produce un importante retroceso en la higiene corporal, extendiéndose la teoría de que: "la sucie-

dad protegía de las enfermedades, pues el agua ablandaba la piel y penetraba en el cuerpo por los poros, dejando pasar las enfermedades". Además la religión católica, que imponía el miedo al pecado y la idea de que había que mortificar el cuerpo, llevó a que se considerasen como peligrosas muchas de las medidas de higiene corporal. Así fueron perdiéndose muchas de las costumes de lavarse y se cerraron los baños públicos. El aseo corporal pasó a hacerse sin agua y se limitaba a pasar un paño por las partes expuestas del cuerpo. Como mucho mudaban la ropa interior (una vez al mes) y no todas tenían la costumbre de usarla.

Debido a la falta de higiene se produjeron muchas enfermedades infecciosoas que se propagaban por todas partes, como la tuberculosis, la sífilis, la peste y el cólera. Epidemias como la de la peste negra, procedente de Asia, afectó a toda Europa y fue considerada como un "castigo de Dios", haciendo que muriesen millones de personas y desapareciendo pueblos enteros. Como no se sabía la causa de la enfermedad, cuando aparecía un enfermo, lo cerraban clavando maderas en las puertas para que no saliese y, cuando moría, quemaba la casa y sus pertenencias (en el tejado de la catedral de Santiago quemaban las ropas de los peregrinos). Tiempo después se supo que el origen de esta enfermedad estaba en una pulga que vivía de las ratas que, debido a la falta de higiene en los pueblos, estaban por todas partes; por eso se transmitía con tanta facilidad.

Al final del siglo XVII un científico holandés llamado Van Leeuwenhoek describe las bacterias como unos "animalículos, pequeños insectos invisibles a simple vista". A finales del XVIII otro científico, Scheele, descubre el cloro, que se empleará como desinfectante, y Jenner descubre los principios de las vacunas.

Ya en el siglo XIX se producen importantes avances: Lister descubre el origen de la asepsia y el modo de desinfectar las heridas; Koch, el bacilo productor de la tuberculosis; Pasteur, los cultivos atenuados de las vacunas; Fleming, la penincilina... Estas mejoras hacen que se reduzcan las muertes por infección en los hospitales, se generalice la desinfección y se controlen las enfermedades infecciosas.

En los pueblos las medidas de saneamiento también mejoran cuando se dispone de canalizaciones de hierro, de plomo y en la actualidad con el plástico, con lo que se puede disponer de agua corriente en las viviendas.

Mas de este modo hoy en día el consumo de agua se dispara, llegándose a consumir en los países más desarrollados más de 250 litros de agua por habitante al día, de la que la mayor parte se malgasta sin darle uso.

El problema del agua en la higiene se da también en situaciones peculiares como en las estaciones espaciales, donde el agua es un bien esencial y su uso está muy limitado ya que tiene que ser transportada desde la Tierra.

Por otro lado, en otros países poco desarrollados todavía se sigue sin solucionar el problema de las enfermedades transmisibles y el agua, que tiene que ser acarreada desde muy lejos, y apenas disponen de unos pocos litros por persona y día para todas las necesidades. Así, el agua pasa de ser un bien de uso común a ser un problema muy importante, tanto por la escasez y el mal uso, como por la contaminación por residuos y pesticidas.

Además, el agua en situación de ingravidez se comporta de modo distinto que en la Tierra ya que flota y se mete por todos los rincones deteriorando las máquinas. Por estos motivos la higiene en el espacio se realiza con toallitas húmedas, el afeitado tiene que hacerse en seco y con un aspirador de pelos y en el inodoro tienen que estar atados y tienen un sistema de aspiración para las heces.

¿Qué problemas produce la falta de higiene?

En la actualidad siguen teniendo mucha importancia enfermedades como la tuberculosis, el tifus, el cólera, el tétanos, los piojos, las infecciones gastrointestinales, las infecciones por parásitos y hongos o las enfermedades de transmisión sexual. Estas enfermedades, que estaban en franco retroceso por las medidas de higiene, el uso de los antibióticos y las vacunas, comienzan a aparecer con más fuerza en la actualidad.

En los países desarrollados las enfermedades como el cáncer y las dolencias cardiovasculares, junto con los accidentes en la carretera, son las principales causas de muerte y se pueden prevenir con la instauración de medidas como los buenos hábitos personales y ambientales.

En los países poco desarrollados las principales causas de muerte son las enfermedades transmisibles, como los millones de afectados por SIDA, que aumenta por la falta de medidas de educación e higiene, o las enfermedades como el tifus y el cólera, debidas al consumo de aguas contaminadas, que llevan a que se produzcan cientos de muertos cada año.

La higiene del cuerpo

La piel es la primera barrera que tiene el organismo para protegerse de las agresiones externas.

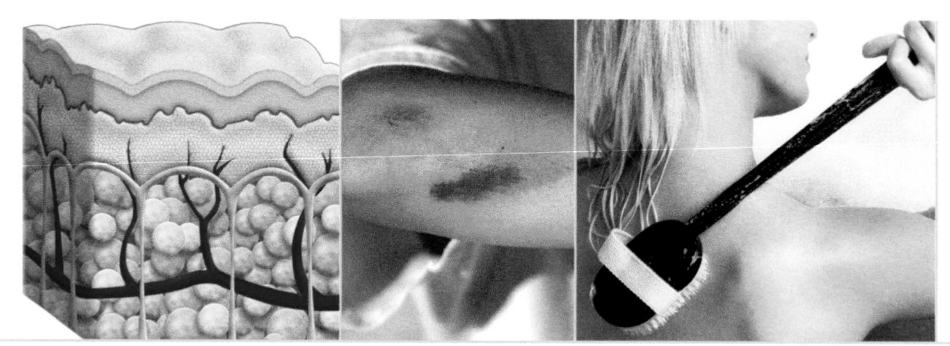

Se trata de un órgano con múltiples funciones: relación con el entorno por medio del sentido del tacto, función reguladora de la temperatura corporal (fiebre), eliminanción de sales y residuos a través del sudor.

Pero también puede ser una importante vía de entrada de los microrganismos al ser el medio de contacto entre el organismo y el exterior. Sobre la superficie de la piel se va a retener el polvo y la suciedad procedentes del medio ambiente, así como el sudor y las células muertas que se escaman continuamente. En sus pliegues y zonas húmedas crecen muchas bacterias. Aunque la piel está colonizada por una gran cantidad de microorganismos, constituye una barrera impenetrable para ellos y sólo pueden pasar a nuestro organismo por las mucosas o de cualquier herida que se produzca en la piel.

¡A la ducha!

La ducha es el método más eficaz de aseo corporal ya que arrastra la suciedad del cuerpo, favorece la transpiración de la piel, nos refresca, reduce el número de microorganismos y el riesgo de infecciones y produce un buen aspecto personal.

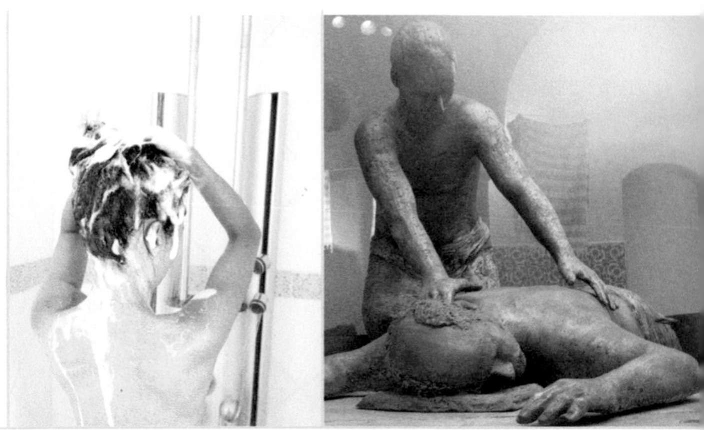

Su principal ventaja frente al baño es que consume menos agua; además en el baño la suciedad queda disuelta en el agua y se precisa de una ducha posterior. La ventaja que tiene sobre la ducha es su efecto relajante.

La ducha debe realizarse como mínimo una vez al día, aunque va a depender de la estación del año, la temperatura, el tipo de actividad realizada, la presencia de suciedad, el sudor... En la mujer durante el período menstrual la ducha es muy importante pues se va a producir un aumento del sudor, por lo que es muy importante mantener una buena higiene corporal.

El agua de la ducha debe estar a una temperatura entre 22 y 25° y en los bebés entre 25 y 30°. Tanto las duchas con auga fría como las de contraste, que alternan agua caliente con fría, son muy beneficiosas para la circulación de la sangre.

Cuando nos duchamos, primero debemos humedecer la piel y después enjabonarnos con un jabón neutro para la piel (pH 6). En la antigüedad frotaban el cuerpo con arcilla y ungían la piel con aceites y arena para arrastrar la suciedad, mientras que los jabones se empleaban para la limpieza de la ropa y con fines medicinales.

Los romanos usaban los jabones para los baños y en el siglo XII las clases altas europeas empleaban una mezcla de grasas de cordero y cenizas de madera con sosa cáustica para la limpieza del cuerpo.

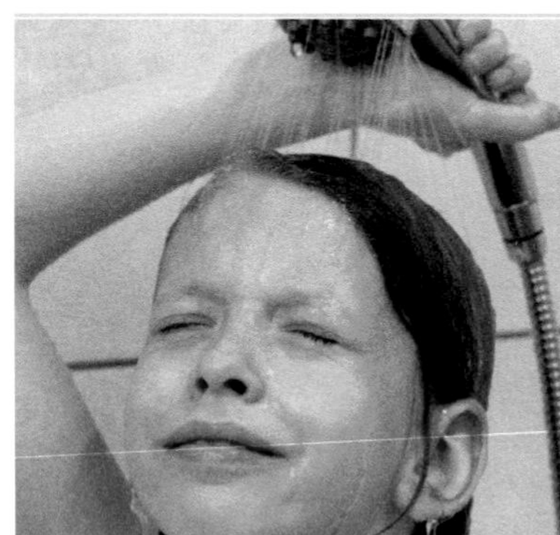

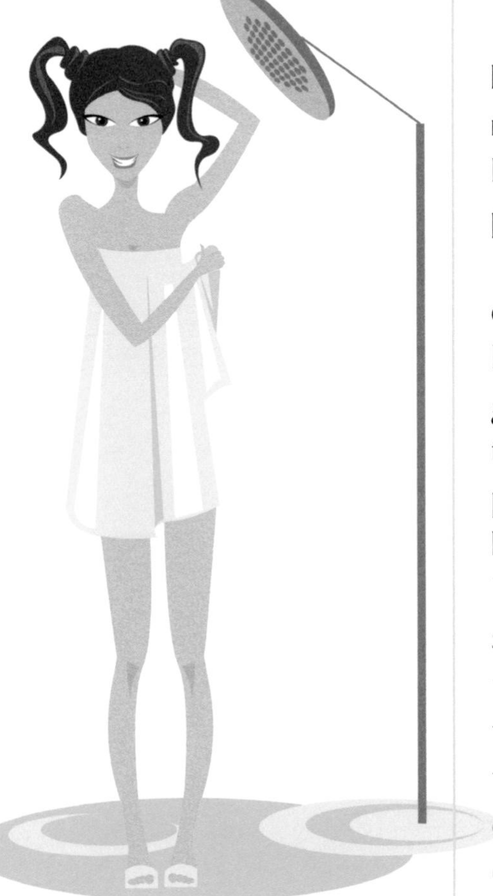

Con la pérdida de los hábitos de higiene su uso se fue perdiendo, limitándose la higiene al cambio de las ropas y al empleo de colonias para esconder los malos olores.

Es muy importante la limpieza de las axilas, ingles y pliegues de la piel, así como la higiene de los genitales. En el hombre es importante limpiar el pene tirando del prepucio hacia atrás y lavándolo bien, y en las mujeres limpiar los labios mayores. Después se debe realizar un buen aclarado para que no queden restos de jabón que vayan a irritar la piel. Luego se debe secar bien todo el cuerpo, con especial cuidado para los pliegues, axilas y pies, con una toalla limpia y de uso personal.

Es importante emplear cremas hidratantes después de la ducha, sobre todo después de agresiones como la exposición prolongada al sol o después de ir a piscinas con excesivo cloro (la mayor parte de las piscinas lo emplean para la desinfección del agua), que es irritante para la piel.

¿Es tan importante lavar las manos?

La mayor parte de las actividades que realizamos a diario se hacen con las manos. En condiciones normales tenemos millones de microbios invisibles en las manos. A pesar de que en su gran mayoría son inofensivos, otros pueden causar enfermedades como el resfriado común, la gripe, diarreas, algún tipo de hepatitis o meningitis, salmonelosis o tétanos.

También se encuentran en las manos gran cantidad de residuos de los productos con los que estuvimos en contacto, pero sólo cuando están en cantidad abundante es posible verlos. La suciedad de las manos mancha todo lo que tocamos, diseminando los gérmenes y la suciedad a las superficies, a otras personas o a nosotros mismos, cuando nos tocamos los ojos, la boca, la nariz o una herida con las manos sucias. Por eso tienen mucha importancia las medidas de higiene de las manos ya que juegan un papel muy importante en la cadena de transmisión de las enfermedades.

Si lavamos las manos en agua sin jabón, arrastramos parte de la suciedad visible y no eliminamos los gérmenes y los residuos que siguen en las manos. Para lavar las manos de manera adecuada, debemos seguir los siguientes pasos:

- Primero humedecer las manos en auga tibia. Es importante cerrar el grifo una vez mojadas. De no hacerlo se gasta mucha agua.

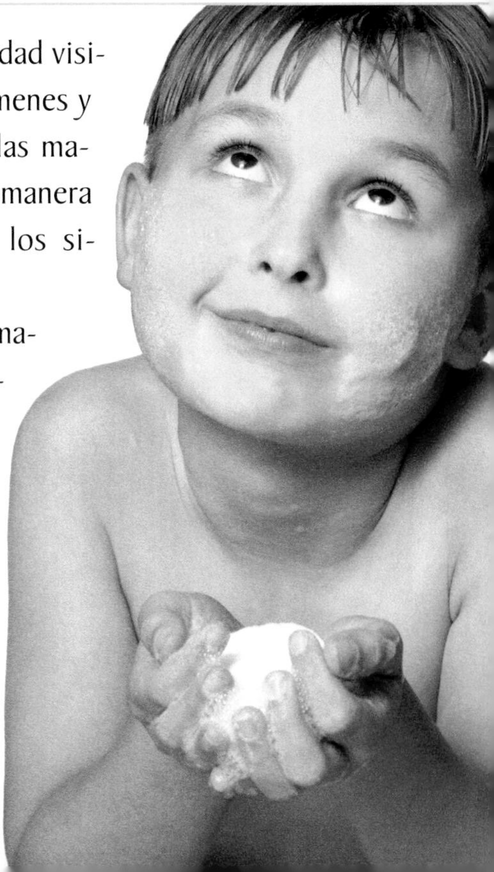

- Enjabonarse con jabón en los lugares públicos, como las escuelas, debe hacerse por medio de jabón líquido pues las pastillas de jabón retienen la humedad y pueden crecer los microorganismos en ellas.

- Ahora frotar las manos durante unos 15 segundos (es el tiempo que tardamos en cantar el cumpleaños feliz), pasando por todas las superficies de las manos, incluyendo muñecas, palmas, dorso y entre los dedos. También debemos cepillar las uñas ya que retienen la suciedad. Las uñas deben estar cortadas en forma convexa, siguiendo el borde del dedo.

- Después enjugamos las manos, sacando todos los restos del jabón.

- Por último las secamos bien, empleando una toalla de paño o papel deshechable o en un sitio público con un secador de aire caliente.

Es importante el lavado de las manos antes de preparar alimentos, antes de comer, cuando vamos a curar una herida o a atender a alguien que está enfermo (lo que no evita que empleemos guantes de protección). También antes de tocar los ojos o cuando ponemos o quitamos las lentes de contacto.

También se deben lavar después de ir al baño, de sonarse la nariz, estornudar, manipular alimentos crudos, después de manipular la basura, de atender a un enfermo, cambiar los pañales a un niño, tocar animales o manipular sus excrementos, después de hacer deporte o gimnasia y siempre que las tengamos sucias.

¡No puedo con los pies!

Los pies son una de las partes olvidadas del cuerpo. Pese a que van a soportar el peso de las personas durante todo el día, no nos preocupamos de ellos hasta que nos molestan. "¡No puedo con los pies!" equivale a estar agotado y no poder más. La poca atención que se les dedica lleva a que con el tiempo se produzcan deformaciones y problemas en los pies.

Los pies se protegen con el calzado, evitando cortes y heridas. El calzado debe ser cómodo y de un tamaño adecuado pues, si es grande, nos podemos hacer daño, son incómodos al caminar y podemos resbalar mientras que, si es pequeño, impide los movimientos del pie y no transpiran, produciendo durezas, encarnaduras y deformaciones en el pie.

El calzado debe ser cómodo, de materiales naturales y transpirable, pues en los pies abundan las glándulas sudoríparas y se acumula el sudor y la humedad, lo que hace que crezcan los microorganismos y se produzcan malos olores e infecciones.

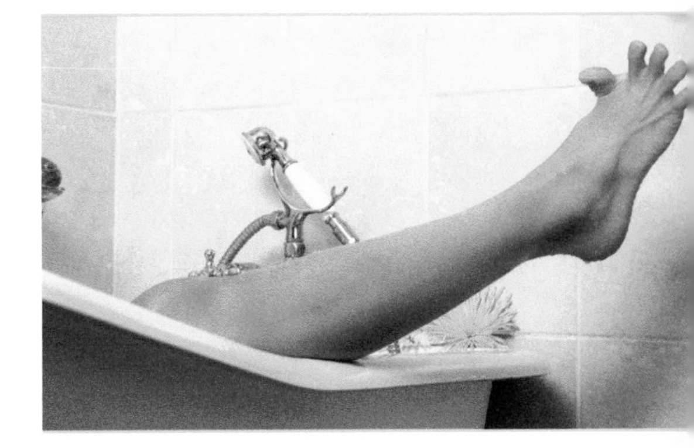

Se deben ventilar y limpiar diariamente, dándole cremas protectoras (que favorecen la duración, la elasticidad y los hacen impermeables). Es importante que el calzado sujete bien el pie. Cuando se anda con los cordones sueltos, es frecuente que se produzcan tropezones y torceduras de tobillo. Los zapatos de tacón alto producen deformaciones en los pies.

Se debe seleccionar un tipo de calzado para cada actividad: para los deportes se emple-

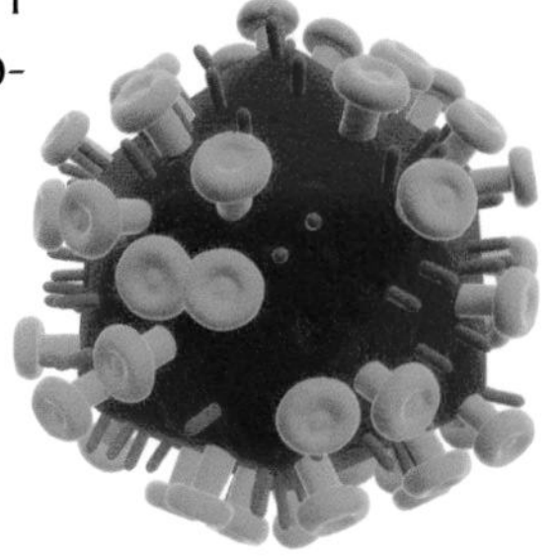

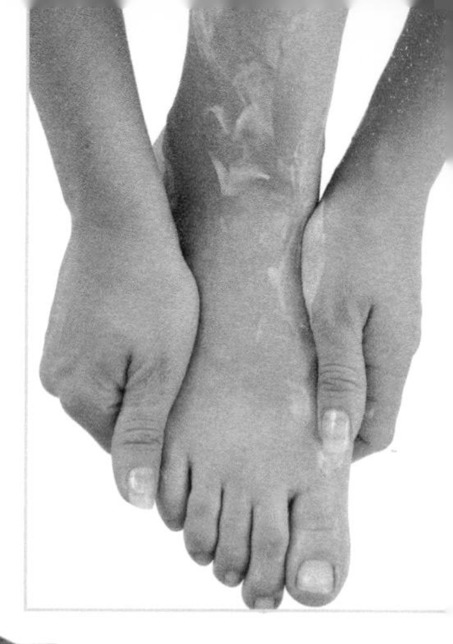

ará un calzado ligero y cómodo (en la mayor parte de los casos son de materiales sintéticos poco transpirables, por lo que no es conveniente estar muchas horas con ellos puestos); para el monte precisamos de botas que sujeten el tobillo o para la playa buscaremos un calzado abierto que facilite la ventilación.

Para la lluvia se deben emplear productos impermeables pero deben ser transpirables; si no, se acumula la humedad y se multiplicarán los hongos.

Existen membranas sintéticas que permiten la eliminación del sudor del pie y no dejan que entre el agua de fuera.

Otra medida importante para disminuir el olor y relajar los pies. Consiste en el lavado diario de los pies y el cuidado de las uñas, evitando que crezcan demasiado y produzcan encarnaduras, por lo que se deben cortar en línea recta. Si andamos con los pies húmedos, es frecuente que se produzca picor entre los dedos y se formen pequeñas hendiduras: es el llamado pie de atleta, producido por un hongo que crece con la humedad y que se contagia fácilmente en las duchas comunitarias.

Para evitarlo es preciso mantener una buena higiene de los pies, emplear chanclas en los baños públicos y secarlos muy bien, también entre los dedos.

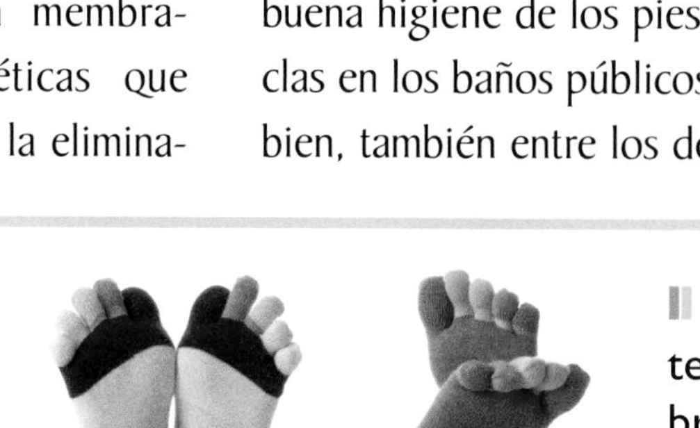

Los calcetines deben ser de materiales transpirables, pues las fibras sintéticas acumulan el sudor y producen mal olor. Deben mudarse a diario.

¡Voy a lavarme los dientes!

La higiene bucal pretende la eliminación de los restos de alimentos y de la placa dental de las superficies de la boca.

La placa dental es una sustancia transparente o blanquecina que se deposita sobre las superficies de los dientes, en la que se van a colonizar los microrganismos responsables de que se produzca la caries, la gingivitis, la enfermedad periodontal y la halitosis (mal aliento).

La placa dental se elimina mecánicamente con el cepillado de los dientes, para lo que podemos emplear cepillos eléctricos o manuales. Los cepillos eléctricos tienen mejor efectividad, pero con ambos se puede eliminar la placa dental. Las cabezas de los cepillos deben tener cerdas de fibras sintéticas y el tamaño de la cabeza no debe ser mayor al de dos o tres muelas.

El objectivo de la higiene oral es eliminar la placa dental, pero como esta no es visible a simple vista, se puede teñir con colarantes, que servirá para medir la eficacia del cepillado y la eliminación de la placa.

La frecuencia de la realización de la higiene oral varía dependiendo del riesgo de enfermar de cada persona, pero por lo general debe realizarse dos o tres veces al día, después de las comidas, poniendo especial interés

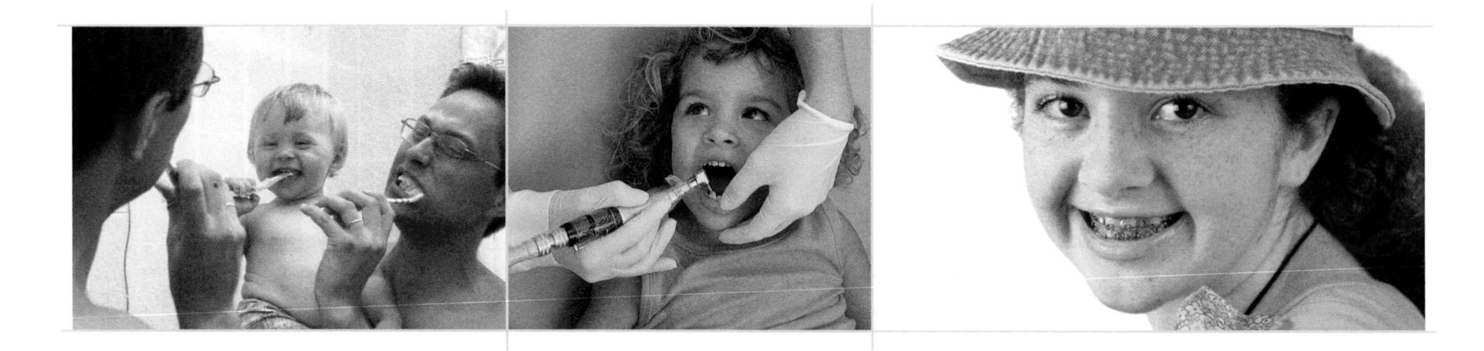

en el cepillado de después de la cena. Se utilizará el tiempo necesario para eliminar toda la placa dental. Normalmente son suficientes dos minutos.

Excepto en los enfermos periodontales, que deben proteger las encías, debe realizarse el lavado poniendo las cerdas del cepillo dirigidas hacia la raíz del diente, apoyando en la encía, y luego hacer con el cepillo movimientos vibratorios y de arrastre girando el cabezal hacia la corona de los dientes.

Se deben cepillar las caras externas, las caras internas (lingual o palatina) y las caras oclusales de todos los dientes y después se cepillará la lengua.

El cepillado apenas tiene efecto sobre las superficies interdentales, por lo que es conveniente emplear hilo dental en estas zonas.

Es muy importante controlar la limpieza si tenemos tratamiento de ortodoncia pues se retiene más placa dental.

Si residimos en zonas con bajo contenido de flúor en el agua de bebida y el riesgo de caries es elevado, se deben administrar suplementos de flúor en pastillas o enjuagues (no se debe aclarar con agua después de hacerlas). Se debe emplear pasta dental con flúor. La concentración de flúor en las pastas varía dependiendo del riesgo de caries y de la edad. La cantidad de pasta empleada no debe ser mayor al tamaño de un guisante.

Las superficies de mayor riesgo de caries son las caras oclusales de los molares, por lo que, si tienen fisuras profundas, se deben taponar con un sellador de fisuras. En la prevención de la caries dental es importante reducir el número de veces que se toman azúcares refinados entre las comidas. Los microorganismos que participan en la producción de la caries transforman el azúcar de la dieta en ácido láctico y este puede disolver el esmalte dental. Cuantas más veces se consuman azúcares, más veces se forma el ácido que disuelve el esmalte dental.

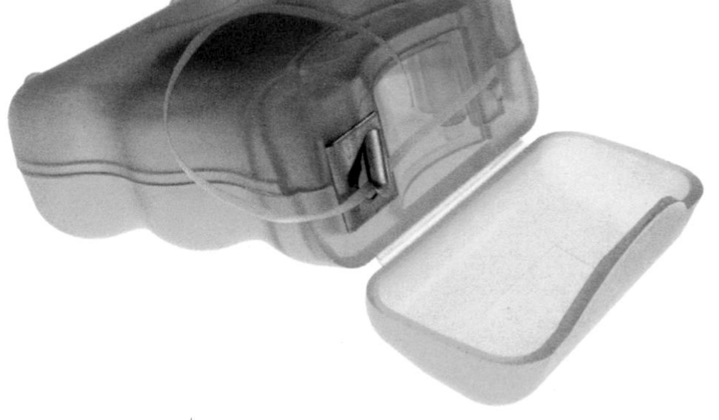

Como las principales enfermedades de la cavidad oral tienen origen microbiana, se debe tener mucho cuidado con la transmisión de los microorganismos.

Cuando los padres chupan el chupete del niño para limpiarlo, pasan microorganismos al bebé. Los cepillos dentales deben ser de uso personal y guardarse en un lugar seco y ventilado.

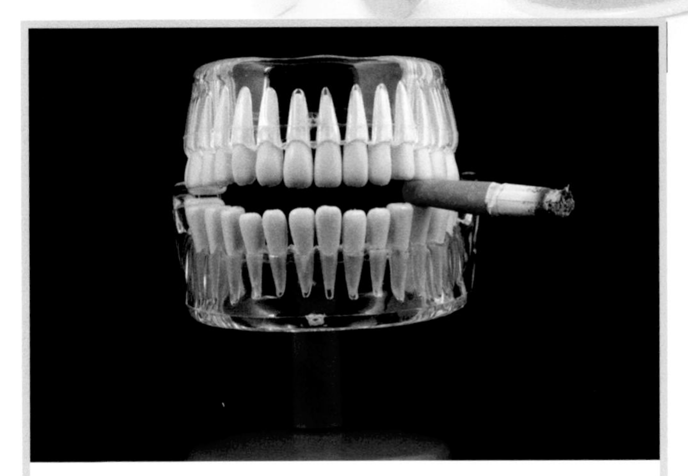

El tabaco y el alcohol son importantes factores de riesgo en la enfermedad periodontal, en el cáncer oral y en la halitosis y son una importante causa del fracaso de los implantes dentales.

¡Te huele el sobaco!

Un aspecto importante que hay que tener en cuenta en nuestra higiene es el olor que se produce en el cuerpo, que va a ser característico de cada persona. En la pubertad las glándulas sudoríparas se vuelven más activas, segregando gran cantidad de sustancias en el sudor y producen un olor más fuerte.

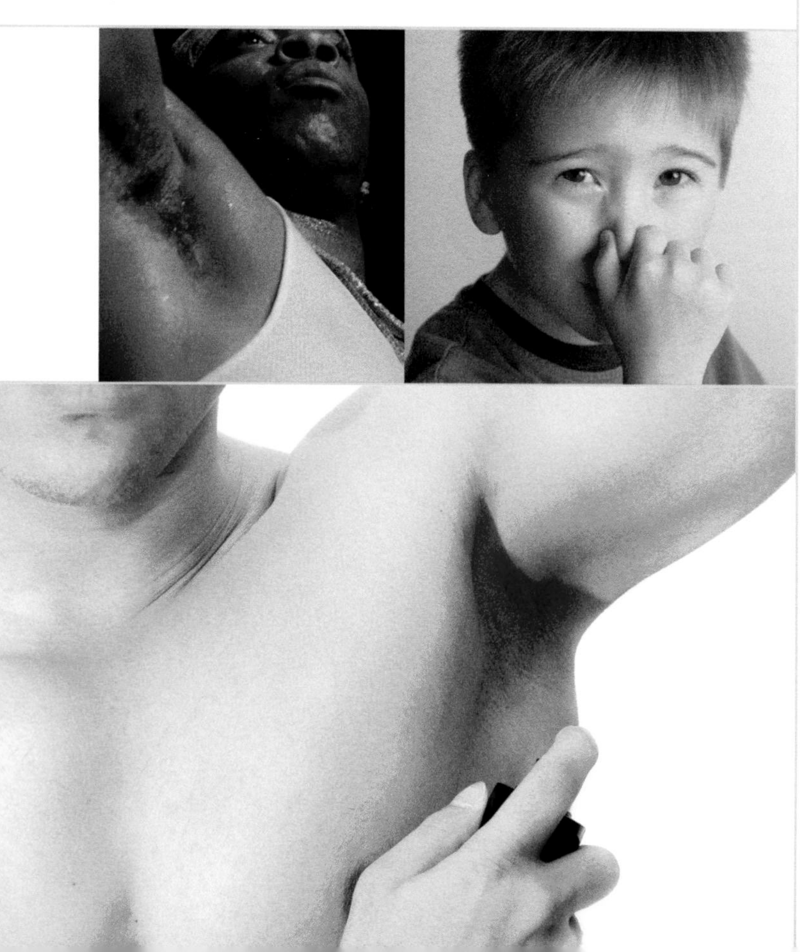

Las bacterias anaerobias son las responsables de los olores desagradables. Crecen en ambientes húmedos y sin oxígeno, como los que se producen en los pliegues de la piel debido a la acumulación del sudor, debido a la falta de higiene o por el uso de ropas sintéticas o muy ajustadas, que no permiten transpirar.

La principal solución es la ducha, con la que se va a limpiar la piel, disminuyen las bacterias y se favorece la transpiración, con lo que desaparece el mal olor.

También se usan colonias, sustancias de olor agradable con el fin de cubrir el olor, desodorantes, que neutralizan el olor del sudor, o antitranspirantes, que bloquean la salida de las glándulas e impiden la transpiración, pero estos productos están menos indicados. Pero no todo el mundo tiene mal olor, así que sólo los deben usar los que lo necesiten.

¡Ponte crema que te vas a quemar!

La piel actúa como barrera de protección del sol. La exposición a las radiaciones ultravioleta (UV) procendentes del sol tienen efectos beneficiosos sobre la salud al activar la provitamina D, evitar el raquitismo (enfermedad muy frecuente en otras épocas) y activar la melanina, que nos protege del sol y produce el bronceado.

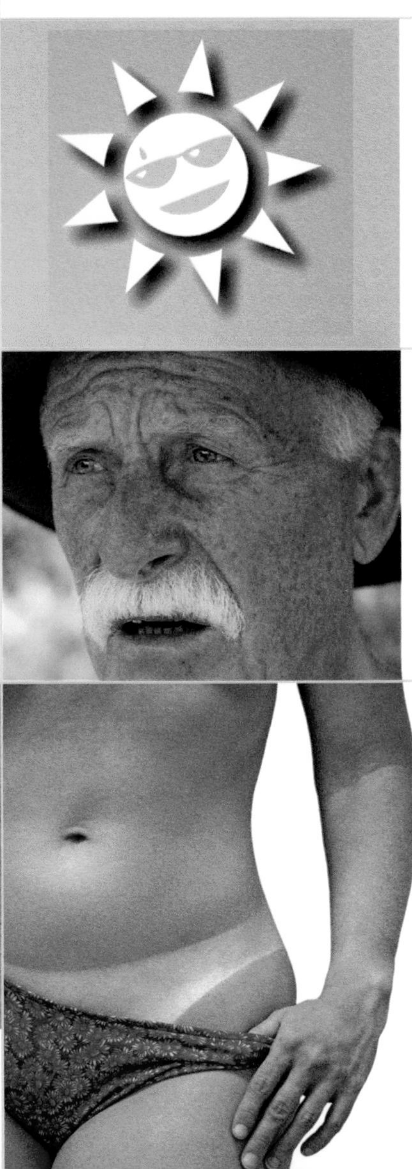

Además, los rayos UV también producen la destrucción de los microorganismos, lo que es muy importante en la depuración de las aguas y en la desinfección de las viviendas.

Pero la exposición prolongada al sol sin la adecuada protección tiene efectos muy perjudiciales para nuestra salud ya que produce quemaduras en la piel y en los ojos, envejecimiento prematuro de la piel (la piel de los marineros o personas que viven en las montañas) o cáncer de piel (desde hace unos años el número de melanomas se triplicó).

Por esto es muy importante controlar las condiciones en las que tomamos el sol. Así, en los primeros días de sol debemos exponernos poco a poco y en las horas de menor intensidad de radiación. La resistencia al sol va a depender del tipo de piel que tengamos: cuanto más oscura, aguanta más el sol.

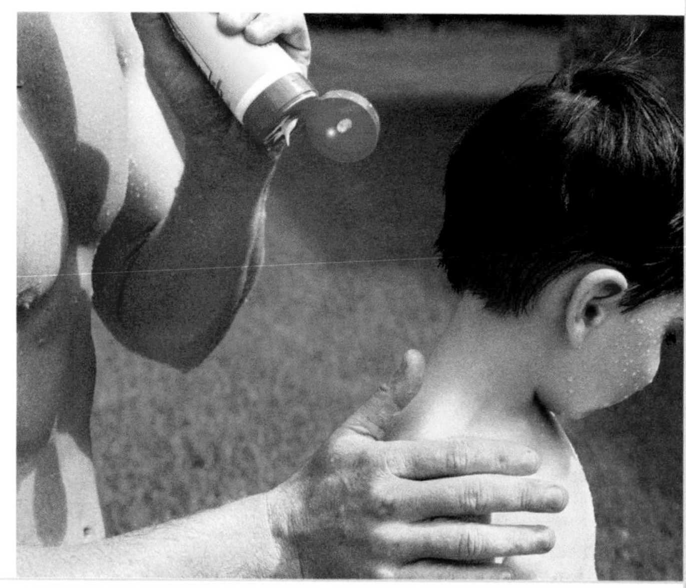

En los niños pequeños no es buena la exposición directa. Se deben utilizar siempre cremas protectoras, controlar el horario de exposición (las peores horas para tomar el sol son de las 12 a las 16 horas), emplear gorro o visera, usar gafas de sol polarizadas con un factor de protección alto frente a los rayos UV, beber abundante agua, no estar quietos al sol y, si la intensidad es elevada, poner la ropa para que nos proteja de las radiaciones.

El uso de radiaciones ultravioleta de origen artificial (lámparas de rayos UVA), tan generalizado en la actualidad, tiene los mismos efectos que las radiaciones UVA procedentes del sol y, por lo tanto, no es inocuo.

Está reglamentado que sólo se deben aplicar en centros autorizados, por personal cualificado y con unas precauciones especiales; antes de exponernos deben enseñarnos los riesgos de la exposición.

Durante la aplicación los ojos deben protegerse con lentes especiales y limpias. No se puede abusar de la exposición a los rayos UVA: se recomienda no hacer más de 20-30 sesiones por año (dependiendo del tipo de piel), las dos primeras sesiones deben separarse 48 horas y no hacerla si debemos exponernos a las radiaciones del sol el mismo día. Después de cada sesión se debe hidratar la piel.

Los rayos UVA no se pueden administrar: en menores de 18 anos, en personas que tengan la piel muy clara, en embarazadas, en personas con cáncer de piel o si estamos tomando ciertos medicamentos, si le echamos a la piel cosméticos o perfumes, ni en la semana después de la depilación láser. Además, no se puede hacer la depilación láser dos meses después de la exposición a rayos UVA.

¡No hurgues en los granos!

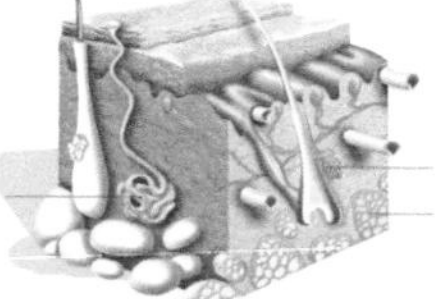

La higiene de la piel merece un especial cuidado en la adolescencia. Las espinillas o acné se producen por la acumulación de grasa en la salida de las glándulas sebáceas.

Es muy importante mantener una buena higiene de la zona, no manipular los granos para evitar que se infecten, lavarlos bien con un algodón con auga tibia y después secarlos. Las cabezas oscuras de la salida de las glándulas se pueden sacar con tiras adhesivas pero nunca comprimiéndolas. Cuando se infectan los granos y en los casos de infecciones generalizadas de acné, se deberá recibir tratamiento médico.

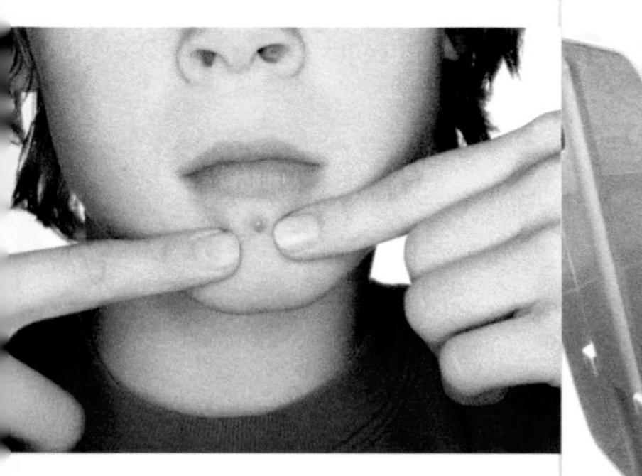

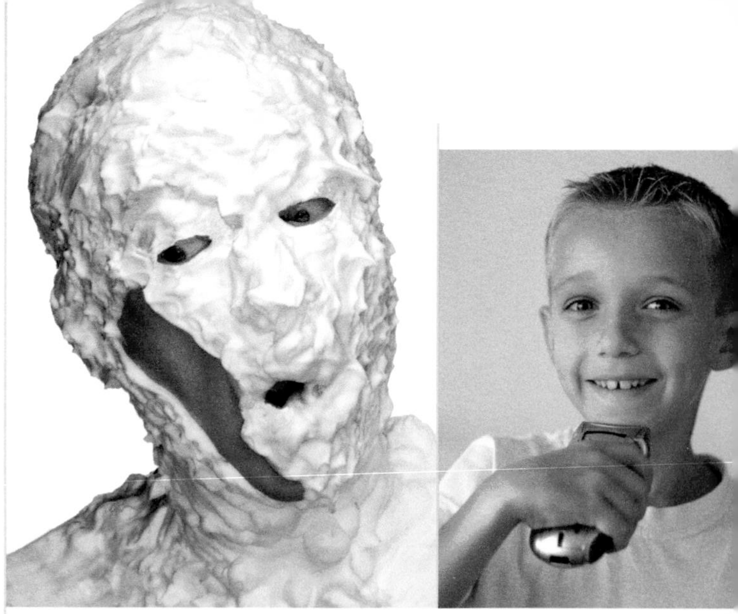

¡Tengo bigote!

La presencia de pelo en ciertas partes del cuerpo para muchas personas es un problema importante.

Su eliminación depende de las modas, del sexo de la persona y de la parte del cuerpo de la que queramos eliminar los pelos, y para hacerlo se usan técnicas distintas. La eliminación del pelo es una decisión personal y no debe hacerse de modo generalizado. Cada cual debe decidir cómo se siente más cómodo y eliminarlo o no.

Cuando se toma la decisión de afeitarse, no deberá tenerse miedo

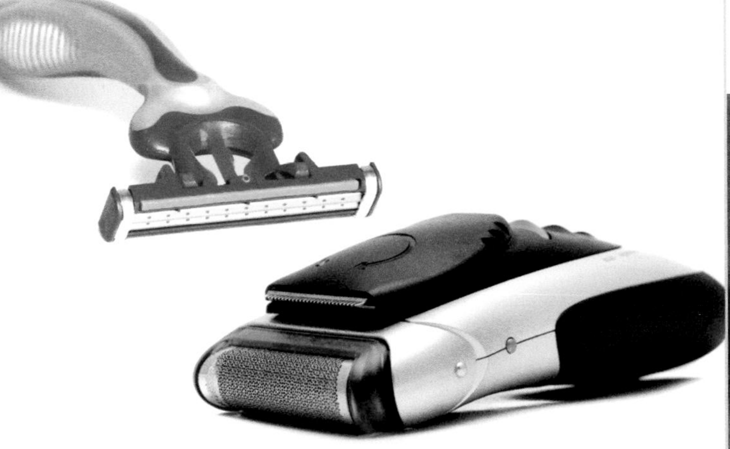

de pedir ayuda o consejo. En los chicos si van a usar la maquinilla de cuchillas. Esta deberá estar afilada o emplear mejor las de un solo uso. Nunca se deben compartir las maquinillas por el riesgo de transmitir infecciones.

Se comenzará lavando bien la zona, luego se aplicará crema de afeitado (para facilitar el deslizamiento), se afeitará la cara despacio, tensando las zonas de pliegues que tengan barba. Se deberá ser muy cuidadoso si tienen granos o acné.

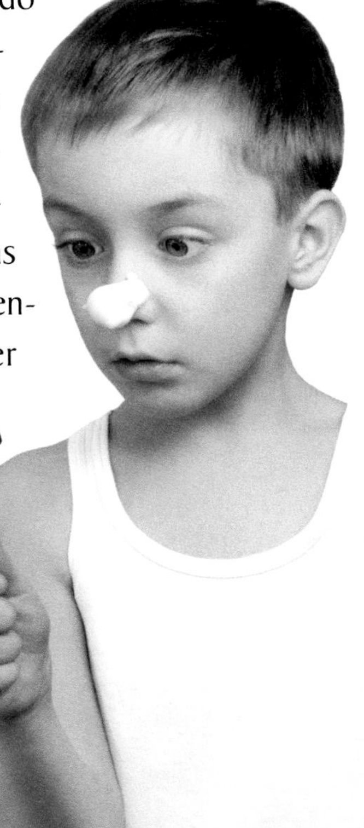

Una vez finalizado, es recomendable aplicar una loción hidratante.

En las chicas, para el pelo en la zona del bigote no está recomendada la maquinilla de afeitar. Lo primero que pueden hacer es emplear cremas faciales que debilitan el pelo y lo hacen menos visible. Si no se alcanzan buenos resultados, se puede hacer una decoloración suave del pelo o se puede depilar con cremas de depilación facial, pero deberá probarse antes en una pequeña zona ya que en algunas personas puede producir irritaciones o procesos alérgicos. En pocos casos el vello facial en las chicas es visible pero, si después de pasar la pubertad produce molestias, podrá recurrirse a otros métodos de depilación.

HIGHWOOD PUBLIC LIBRARY

¡Me quiero depilar!

En la depilación con maquinilla o con cremas depilatorias, la maquinilla corta el pelo a ras de la piel pero vuelve crecer con la misma fuerza.

La cera es un método de depilación seguro y eficaz, que arranca el folículo piloso de forma completa, con lo cual el pelo se va debilitando lentamente disminuyendo su cantidad y grosor con el paso del tiempo. La afección más frecuente asociada a la depilación es la pseudofoliculitis o "pelo encarnado".

Se trata de una inflamación del folículo en la que se forman granitos con pus en las zonas sometidas a depilación. Ocasionalmente, el pelo encarnado puede infectarse con las bacterias alojadas previamente en la propia piel, y no por causa de la cera. La foliculitis es otro tipo de infección frecuente de la piel, en la que se producen elevaciones encarnadas de la pel, a menudo con un centro amarillo debido al contenido de pus. Son pequeñas, ocasionalmente pican y se localizan en las zonas sometidas a depilación o afeitado. Por lo general, la infección puede ser controlada con la colocación de compresas con solución fisiológica y la administración de antibióticos. Se aconseja suspender la depilación hasta que el proceso cure.

Una vez pasada la pubertad se puede hacer como definitiva la depilación láser o con luz pulsada. En cinco sesiones la depilación es definitiva, pero en la gente joven las sesiones deben ser más espaciadas. No se puede hacer si existen lesiones dermatológicas, si estuvo expuesto a rayos

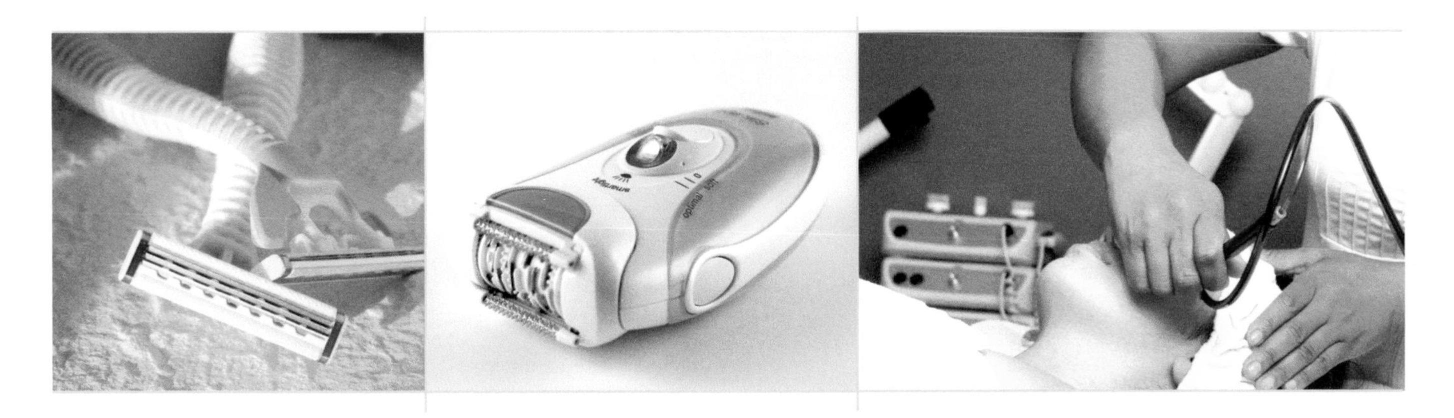

UVA de 6 a 8 semanas antes o si está tomando medicamentos fotosensibilizantes o en embarazadas. Después de exponerse al láser, se debe hidratar la piel, no exponerse a rayos UVA en los 7 días siguientes ni ir a piscinas con cloro (por el efecto irritante sobre la piel recién depilada).

Para disminuir el riesgo de infección local se debe hacer una buena higiene previa de la zona por depilar y evitar colocar la cera caliente sobre zonas lastimadas de la piel. El uso de una buena técnica de depilación y un adecuado procesamiento de la cera son las medidas más eficaces para prevenir cualquier tipo de infección.

¿Puedo hacerme un piercing o un tatuaje?

La realización de tatuajes y perforaciones para poner anillos o pendientes en diferentes partes del cuerpo está muy de moda en la actualidad.

El tatuaje es un proceso en el que se producen inyecciones de pigmentos colorantes en la piel con un efecto permanente. Se debe meditar mucho la decisión de hacerlo, pues no son reversibles y el tratamento para su eliminación puede dejar importantes cicatrices.

Para la colocación de un piercing se atraviesa la piel o las mucosas haciendo un orificio y luego se coloca un adorno atravesándolo.

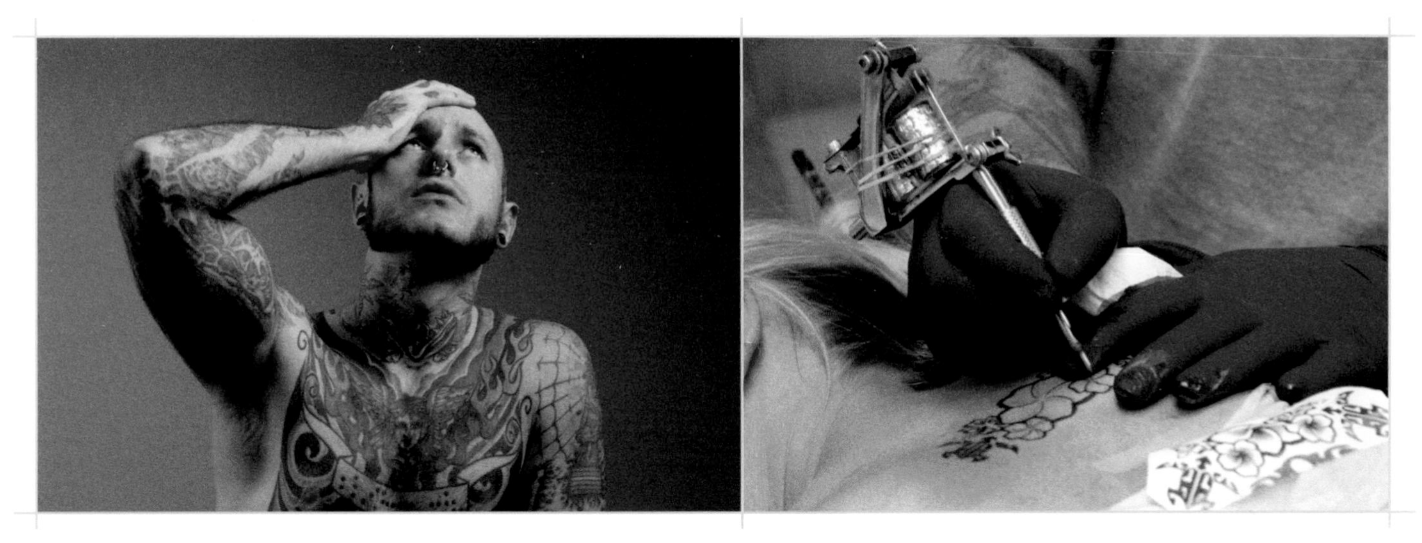

Ambas actividades están consideradas como actividades de riesgo ya que pueden producir infecciones en la piel y pueden transmitir enfermedades si no se toman estrictas medidas de higiene, por lo que están reglamentadas. Sólo se pueden realizar en centros estables (no ambulantes) y que cumplan la normativa sanitaria: *tienen que tener una habitación independiente fuera de la vista del público, el personal que lo aplique tiene que estar cualificado y deben aplicar estrictas medidas de higiene. El personal debe usar guantes para cada paciente, deben emplear productos estériles o de un solo uso y ser de materiales que no produzcan alergias (oro, plata, acero quirúrgico). En los tatuajes se deben emplear tintas vegetales.*

Los menores de edad que quieran hacerse un tatuaje o un piercing precisan de autorización. Deben ser informados de los posibles riesgos (los piercings en la lengua o en el labio pueden producir roturas de dientes, infecciones, edemas; los de nariz u oreja pueden dañar el cartílago, otras localizaciones pueden sufrir roturas y engancharse).

La persona que los va a poner debe ser muy exigente con el cumplimiento de las normas de higiene: comprobar que el material que emplean es estéril y las agujas de un solo uso, no puede estar enfermo en el momento de ponerlos, la zona donde se va a aplicar debe estar sana y limpia. En el caso de que den algún problema, deberá acudirse inmediatamente al médico.

Y hoy, ¿qué ropa me pongo?

La ropa es nuestra segunda piel, que nos protege de los cambios climáticos. Además, también juega un papel muy importante en la aceptación social, por la importancia que se le da a las modas en la sociedad actual.

La función de la ropa es protegernos de los cambios climáticos del medio ambiente y mantener el equilibrio de la temperatura del cuerpo, pero no debe ser un obstáculo para las funciones de la piel, permitiendo los movimientos (ni muy apretada ni muy holgada) y la transpiración. Los tejidos naturales (seda, algodón) permiten la transpiración mientras que los sintéticos la impiden, lo que evita la pérdida de temperatura, produciendo un exceso de calor y acumulación del sudor, que produce humedad y mal olor corporal.

En invierno buscamos ropas aislantes que retengan el calor y, cuando llueve, usamos ropas impermeables que tengan un alto grado de transpiración, mientras que en verano la ropa debe favorecer la eliminación del calor y proteger del sol.

La ropa debe ser de una talla adecuada, ni apretada, ni muy floja y que permita la libertad de mo-

vimientos. Debe emplearse una ropa adecuada para cada actividad: deporte, playa, montaña, juegos. Debe ser de fácil lavado y lavarla cuando sea necesario, pues retiene suciedad y olores (sudor, tabaco). Muchas veces pierde su función por las "exigencias de la moda" y así es fácil ver jóvenes con poca ropa en invierno o con ropas muy incómodas para determinadas circunstancias.

La ropa interior en su origen tenía como función proteger al resto de la ropa del contacto con el cuerpo, evitar el mal olor y poder lavarla más a menudo. En la actualidad también ocupa un importante papel en la estética personal. Desde el punto de vista higiénico se debe mudar diariamente. Las mujeres pueden emplear salva slips para protegerla.

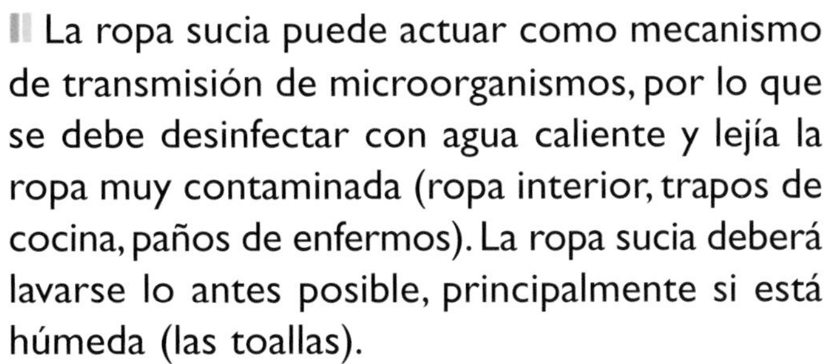

La ropa sucia puede actuar como mecanismo de transmisión de microorganismos, por lo que se debe desinfectar con agua caliente y lejía la ropa muy contaminada (ropa interior, trapos de cocina, paños de enfermos). La ropa sucia deberá lavarse lo antes posible, principalmente si está húmeda (las toallas).

Higiene del cabello

El cabello tiene una importante función estética. Por su situación tiene mucha facilidad para ensuciarse ya que retiene las secreciones y las células de descamación del cuero cabelludo, así como el polvo del aire, dando una sensación de suciedad si no se cuida adecuadamente.

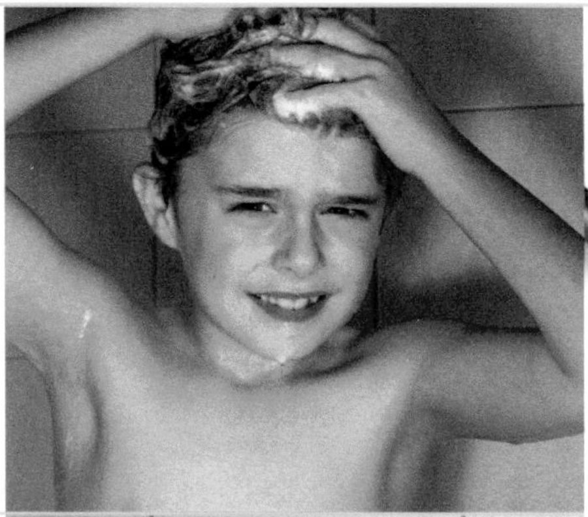

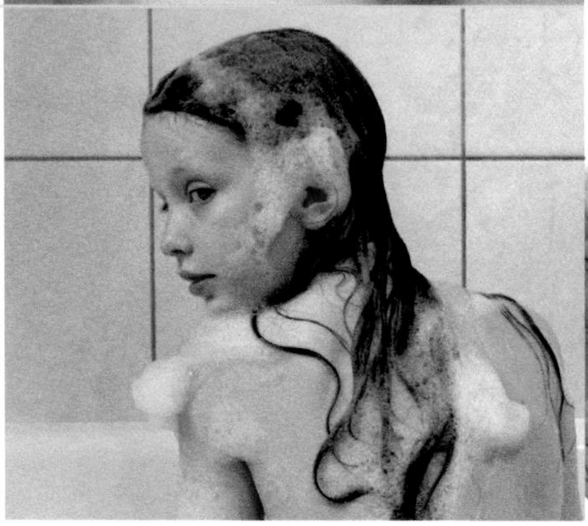

El cabello deberá lavarse con detergentes o champús ligeramente ácidos (pH 5), que deben adaptarse al tipo de cabelllo (seco, normal y graso). Para el lavado debemos mojar el cabelo con agua tibia, aplicar una pequeña cantidad de champú y frotar suavemente la cabeza con las yemas de los dedos, haciendo un ligero masaje, lo que permite activar la circulación de la sangre y eliminar las células que se descaman (caspa).

No debemos rascar con las uñas pues pueden dañar la piel. Después se hace el aclarado eliminando todo el jabón. Después puede emplearse un acondicionador. Cuando el cabello es largo, debe peinarse evitando que se enrede y se formen nudos o también se pueden hacer rastas.

Los peines y los cepillos del cabello deben ser de uso individual y se deben mantener limpios, lavándolos periódicamente con un detergente, y desinfectarlos pues retienen polvo y microorganismos.

El lavado del cabello debe hacerse de dos a tres veces por semana, pero se debe tener en cuenta la época del año, el tipo de cabello o la actividad que se realiza. Si se lava muy a menudo, se deteriora y se estimula más la secreción de las glándulas sebáceas del cuero cabelludo, con lo que se pruduce más grasa. Si es preciso lavarlo diariamente, debe escogerse un champú suave.

¡En mi clase hay piojos!

El piojo es un parásito que mide de 2 a 3 mm. Se sitúa en la cabeza de las personas en busca del calor del cuerpo, donde vive unos dos meses. Se transmite por el contacto directo o por el intercambio de objetos personales. Para prevenir las infecciones por piojos se debe cuidar la higiene personal y vigilar periódicamente su presencia en la cabeza. No se deben intercambiar objetos personales como las bufandas, gorros, peines, cepillos del pelo o toallas.

La hembra del piojo pone unos doce huevos al día en el cabello, llamados liendres, que se pueden eliminar con un peine especial. Los huevos se abren a la semana, convirtiéndose en adultos a los 15 días. Cuando aparecen en el cabello, deberán tratarse con unos champús específicos. También deberán tratarse el resto de los compañeros.

En la cavidad nasal están los receptores del olfato y es una de las vías de entrada del aire a los pulmones. Ocupa un papel importante en la higiene de la respiración, pues por su disposición hace que, cuando el aire entra, se produzcan turbulencias que llevan el polvo, las partículas y los microorganismos contra las paredes nasales y se peguen al moco.

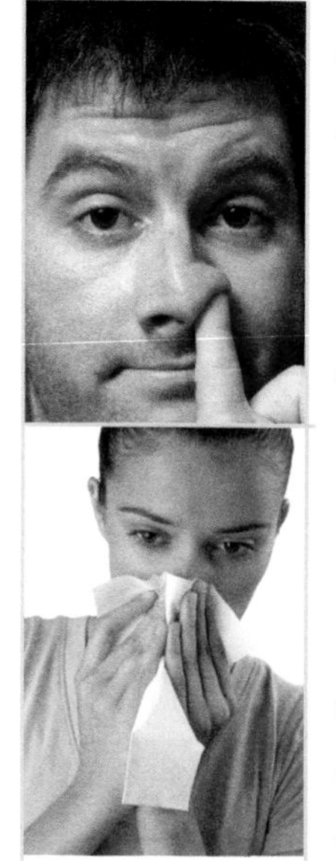

¡Tengo mocos!

El paso del aire por la cavidad nasal permite regular la temperatura del aire antes de que llegue a los pulmones y, al estar comunicadas las fosas nasales con el oído medio, permite regular la presión de la membrana del tímpano.

La eliminación del exceso de moco y de los residuos con un pañuelo es la principal medida de higiene que se debe hacer. El pañuelo debe estar limpio y ser de uso personal. Al sonarse se tiene que tener la precaución de tapar una ventana de la nariz de cada vez para impulsar el aire, evitando que con la presión el moco pueda subir por la trompa de Eustaquio al oído.

Cuando tenemos mucho moco o es muy espeso, se tapona la nariz y dificulta la respiración. Para que se elimine más fácilmente el moco, es conveniente beber mucha agua para que ablande y sea más fluido. La aplicación de suero salino en las fosas nasales también ayuda en la eliminación del moco espeso.

¡Me molestan los ojos!

Los ojos son un órgano muy importante del cuerpo pues la vista es uno de los sentidos fundamentales. Juegan un papel importante en la estética personal: mirando a los ojos se refleja el estado de ánimo y de salud de la persona.

Pero los ojos también pueden ser la puerta de entrada de muchas enfermedades y por eso tienen sus propios sistemas de protección: así, los párpados y las pestañas nos protegen del impacto de cuerpos extraños, las lágrimas de secarse, humedeciéndolos y arrastrando las partículas de polvo que llegan a la conjuntiva.

Los párpados se cierran con un movimiento que se repite de 8 a 12 veces por minuto y tiene como finalidad humedecer la superficie ocular extendiendo el líquido lacrimal, que después sale por la nariz. La piel de los párpados es muy fina, tiene poca grasa, por lo que tienden a secarse y se forman arrugas fácilmente. El tejido subcutáneo de los ojos también almacena agua con mucha facilidad y hace que los párpados se hinchen.

Los ojos se deben lavar por la mañana para sacar las legañas, que son restos de las secreciones y polvo que se acumulan por la noche. Una de las afecciones más frecuentes de los ojos es la conjuntivitis, que produce irritación y picor. Es importante no frotar los ojos y lavar las manos antes de tocarlos, empleando paños de un solo uso ya que la conjuntivitis es muy contagiosa.

Cuando entra alguna partícula en los ojos, no se deben frotar pese a que sea molesto, pues se puede arañar la conjuntiva y hacer heridas mayores e infectarse. Se puede intentar sacar la partícula dando la vuelta al párpado (con las manos limpas) e intentar retirar el objeto con un pañuelo limpio y sin hacer fuerza. Los canteros son expertos en la retirada de objetos de los ojos, pero es más importante el uso de gafas de protección siempre que se puedan producir salpicaduras en los ojos.

Si se producen salpicaduras en los ojos con cualquier producto químico (ácidos o cáusticos), se deben lavar con urgencia con auga suficiente para que se diluyan los produtos y los arrastren. Así, en los laboratorios y en la industria donde trabajan con productos químicos tienen unos grifos especiales para lavar los ojos.

Los párpados se secan o se hinchan rápidamente, delatando cansancio, estados emocionales y enfermedades. Para cubrir estas manifestaciones, es muy frecuente que los ojos se maquillen con las sombras de ojos o líneas oculares, que pueden producir irritaciones y problemas de alergias a estos productos.

Los problemas visuales son frecuentes a lo largo de la vida (astigmatismo, hipermetropía...). Muchas veces estos problemas se descubren en la edad escolar y hacen necesario el uso de gafas graduadas.

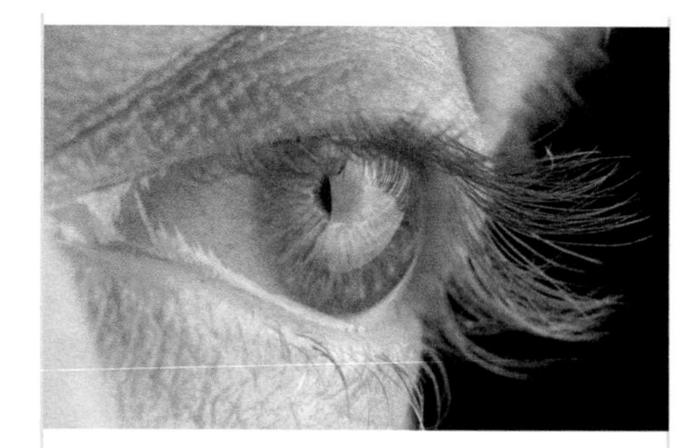

Debemos limitar el tiempo de exposición ante la televisión, pantallas de videojuegos..., así como mantener una distancia de al menos 1,5 metros de la pantalla.

No se debe mirar directamente al sol o a luces intesas y en los días soleados se deben emplear gafas de sol con factor de protección alto (3 o 4), sobre todo si tenemos los ojos claros o estamos en la playa, en la nieve o en la montaña. Las gafas deben ser amplias y que cubran bien los ojos. Para filtrar los rayos de sol las gafas deben ser de buena calidad. Hay a la venta gafas de sol de plástico que no filtran los rayos solares y producen quemaduras en los ojos.

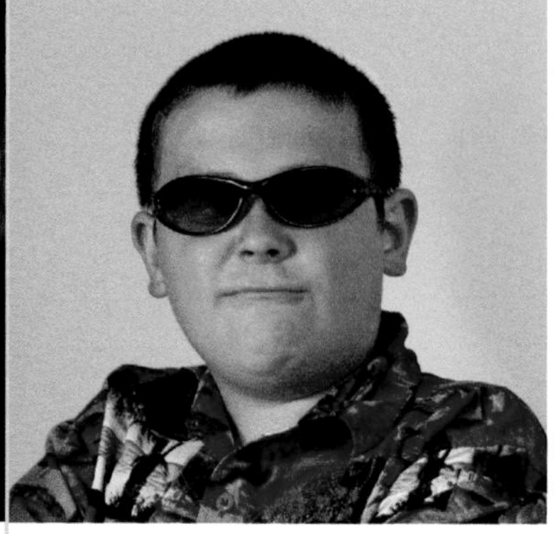

¡No hagas ruido!

El conducto auditivo externo permite la entrada de ondas sonoras, que hacen vibrar el tímpano y que se estimule el sistema auditivo. En su interior hay glándulas secretoras de cera y pelos que protegen el oído de las agresiones externas, del polvo o de los insectos.

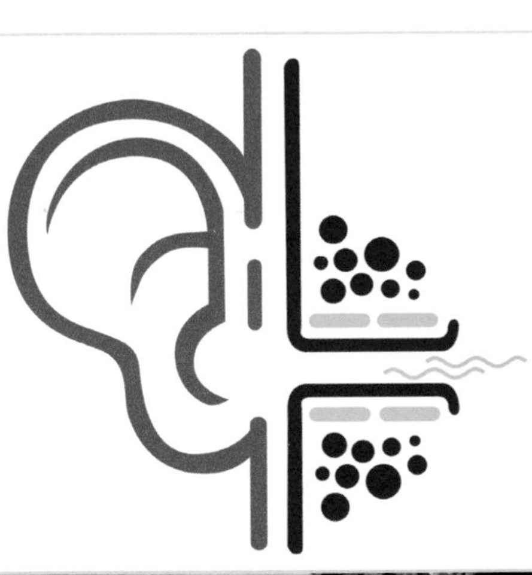

La higiene de las orejas y del resto del oído externo se debe hacer empleando agua y jabón, procurando inclinar la cabeza del lado que se está limpiando para que no entre el agua en el interior del oído. No se deben introducir en él objetos punzantes o rígidos pues pueden perforar el tímpano. El uso de bastoncillos de algodón sirve para secar los pliegues, pero nunca para la limpieza del oído ya que empujan la cera para adentro taponándolo.

El ruido es un contaminante más de la sociedad actual, que tiene un componente individual muy im-

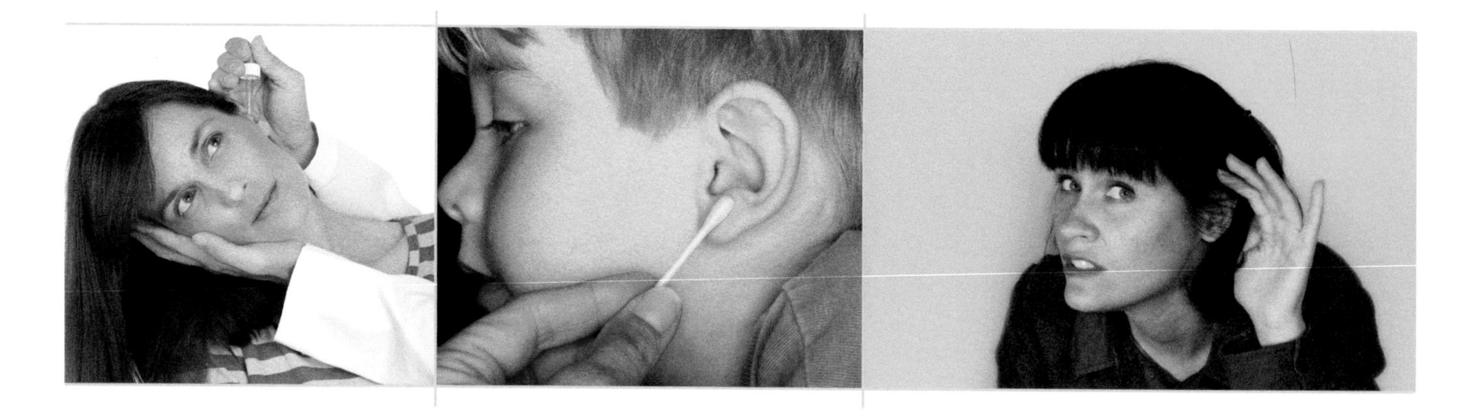

portante, por lo que un sonido que es agradable para una persona, como escuchar música o tocar un instrumento, puede ser considerado como ruido molesto para otra persona, que no lo quiere oír.

Los ruidos de mucha intensidad pueden producir traumatismo acústico con rotura de la membrana timpánica por lo que, si no se puede evitar la exposición a ellos, debemos protegernos con tapones, orejeras o tapándolos con las manos y tragando saliva para equilibrar la presión del tímpano.

La exposición a ruidos continuos, aunque sean de poca intensidad, puede producir sordera, no nos permite descansar, nos pone de mal humor, dificulta la concentración... Por tanto, es necesario descansar periódicamente el oído, pues si no se produce fatiga auditiva y cada vez se necesita de más volumen para escuchar lo mismo.

El ruido también puede tapar otros ruidos, lo que lleva a que se produzcan accidentes: es frecuente que, si empleamos auriculares, no podamos escuchar un coche o un aviso. Además, como el efecto del sonido de los auriculares es casi directo sobre el tímpano, deben ponerse durante poco tiempo y con menor volumen posible.

Higiene: la defecación y la micción

La defecación es una función corporal en la que se produce un importante contacto con microorganismos y suciedad. Es muy importante regular estos hábitos y alcanzar buenas prácticas higiénicas.

Factores como el aspecto del inodoro van a favorecer el mantenimiento de las normas de higiene, pues si está limpio es más fácil que se deje limpio después de usarlo. Debemos acostumbrarnos a evitar las salpicaduras por fuera del váter cuando no se orina sentado. Debe existir un número mínimo de váteres por persona en los espacios públicos (por ejemplo, en las escuelas está regulado el número de váteres por niño: 1/20) y la frecuencia de la limpieza debe ser la adecuada para mantenerlos limpios (después de la entrada, de los recreos, de la salida).

Debemos acostumbrarnos a ir al váter todos los días y siempre a la misma hora. Un buen momento para ir es después del desayuno ya que después de la noche el recto está lleno y nos ayuda a estimular el reflejo de la defecación. No se deben frenar las ganas por mucho tiempo.

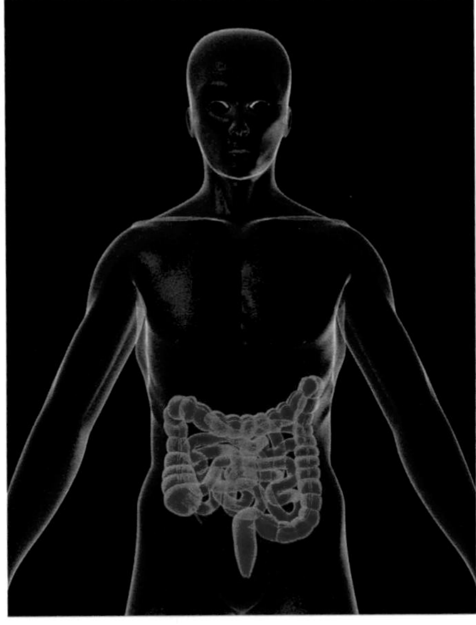

Es muy importante la regulación de la evacuación del intestino, que tiene un componente voluntario que podemos controlar y otro reflejo.

El estreñimiento es un problema importante pues cada vez el intes-

tino se va haciendo más vago. Para evitarlo debemos consumir alimentos ricos en fibras vegetales, alimentos integrales, que estimulan el tracto intestinal y la defecación. Después nos limpiamos con un papel blando y suave. El último pedazo de papel que usemos debe quedar limpio pues, si no es así, mancharemos la ropa y se producen irritaciones en el ano por la suciedad.

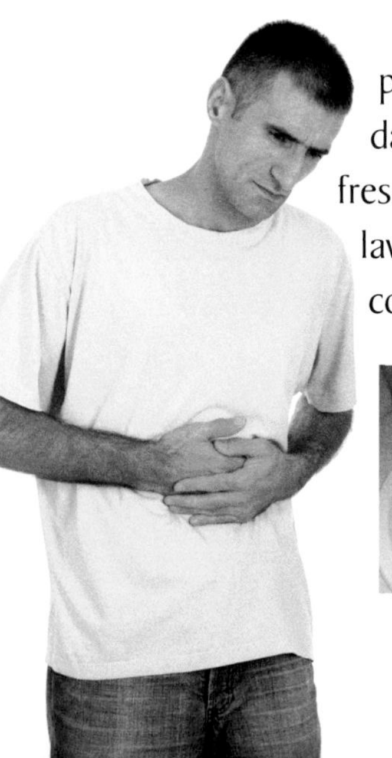

También se puede limpiar con agua fría, quedando una sensación más fresca, y después debemos lavar muy bien las manos con agua y jabón.

Higiene de los genitales

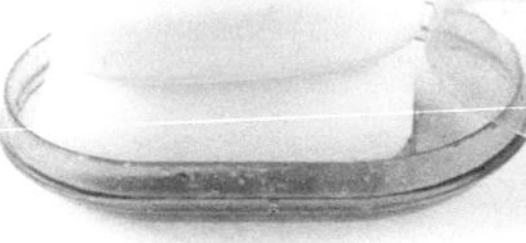

Los genitales, al estar próximos a los orificios de salida de la orina y las heces, requieren especial atención en la higiene diaria.

La vulva y el pene tienen unos pliegues que hay que separar para lavarlos correctamente, pues en ellos se acumulan restos de orina y secreciones.

Los chicos deben bajar la piel del prepucio y limpiar el glande. Las chicas deben lavarse de adelante hacia atrás para no arrastrar restos de las heces hacia la vagina. La higiene durante el período menstrual es muy importante ya que aumentan las secreciones y se concentran los olores. En esta fase el uso de tampones y compresas facilita la higiene y permite la participación en las actividades diarias.

Es importante que las niñas, antes de que tengan el período, se familiaricen con el uso de los tampones pues, si no, pueden ser muchas sensaciones extrañas a la vez. Pese a que en esta época se produzcan cambios en el olor corporal, no es conveniente el uso de desodorantes íntimos pues pueden alterar la mucosa de la vagina, exponiéndola a infecciones.

La higiene en mi casa

En casa existen muchas zonas donde se localizan y multiplican los microorganismos.

Pese a que normalmente pensamos que el baño es el lugar de la casa donde se concentran más gérmenes, es en la cocina (en las superficies donde se preparan los alimentos y en los trapos de cocina), donde se encuentra una mayor cantidad de microorganismos y donde son más peligrosos.

Los lugares más frecuentes donde se hallan microorganismos en las casas son:

- En las zonas húmedas: en los sifones de los desagües, en la taza del retrete, en el fregadero. Deberá hacerse una buena limpieza diaria de estos lugares y desinfectarlos periódicamente.

- En los utensilios de limpieza: como estropajos, trapos de cocina, manoplas, toallas y cepillos. Son utensilios que están normalmente húmedos y en los que se desarrollan fácilmente los microorganismos, extendiéndolos con su uso por toda la casa. Como el riesgo de contaminación es elevado, estos utensilios deben enjuagarse después de cada uso y desinfectarse con frecuencia. Se utilizarán trapos distintos para cada uso: baños, cocina y el resto de la casa.

- Las superficies en las que las manos entran en contacto con los alimentos: en la tabla de cortar, en las superficies de trabajo, en el refrigerador, etc. También los pomos de las puertas, la tapa del retrete, las bañeras, los teléfonos, etc. Es muy importante la limpieza de las manos para evitar esta contaminación.

- El suelo, las alfombras, las superficies del comedor, del dormitorio, los muebles..., que se deben limpiar a menudo.

Con las medidas de higiene en el hogar se pretende reducir la contaminación en las diferentes superficies hasta un nivel que no perjudique la salud. No se trata de esterilizar nuestra casa, sino de reducir la cantidad de agentes patógenos que en ella existen y a los que estamos expuestos constantemente.

La limpieza de la cocina

El grado de contaminación del fregadero de la cocina es 100.000 veces superior al del baño. La mayor parte de las intoxicaciones por alimentos tienen su origen en el hogar.

Cortando un pollo que tenga salmonela, si no tenemos buena higiene, se pueden contaminar las manos y toda la cocina, desde los utensilios utilizados, la superficie de trabajo, el fregadero, las puertas, el refrigerador y el resto de la casa.

Las medidas de higiene que debemos mantener en la cocina son:

- Lavar bien las manos antes y después de tocar los alimentos. En caso de tener una herida, cubrirla con un vendaje impermeable.
- Limpiar con frecuencia el fregadero y las superficies que lo rodean.
- Mantener la temperatura del refrigerador entre 0 y 4°C y limpiarlo siempre que sea posible. Ordenar bien los alimentos para que no se contaminen.
- No poner los alimentos sobre las superficies sucias o húmedas.
- Lavar las superficies de trabajo. Desinfectar las tablas de cortar (no deben ser de madera).
- Lavar y desinfectar el cubo de la basura y la zona a su alrededor.
- Cambiar con frecuencia los trapos de cocina y los estropajos, desinfectándolos.
- No dejar productos perecederos sobre la mesa: eliminar las migas y otros restos que puedan atraer a los insectos y roedores.
- Tener separados y ordenados los diferentes tipos de basura, orgánico, papel, vidrio, etc.

El cuarto de baño

El calor y la humedad favorecen la proliferación de las bacterias. Las zonas donde se concentran más microorganismos son los desagües, la taza del váter, las superficies de la ducha, la bañera y las cortinas (en las que suele quedar una capa de agua jabonosa, que contiene gran cantidad de bacterias corporales).

- Se deben limpiar y desinfectar regularmente la bañera, el lavabo y los inodoros.
- Lavar y cambiar las manoplas de baño, que deben ser de uso individual.
- Limpiar los pomos de las puertas.
- Extender las toallas después de cada uso para que se sequen.
- Emplear una toalla para cada persona.
- Ventilar con regularidad para facilitar la evacuación del vapor de agua.

Los ácaros en la vivienda

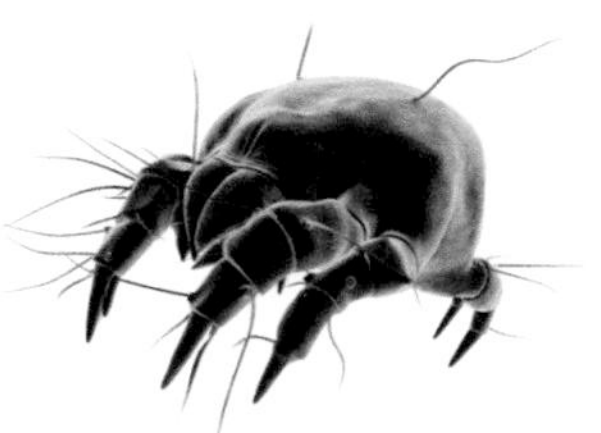

El polvo de la casa es un importante foco de sustancias llamadas alérgenos que pueden producir reacciones alérgicas en las personas predispuestas, de los cuales los ácaros son los más abundantes.

Los ácaros buscan el calor y la humedad. Se alimentan cada día de bocados de piel descamada del cuerpo y viven sobre todo en los tejidos (la lana y las plumas). Se localizan en las almohadas, en las mantas de lana, en los juguetes de peluche, etc. La inhalación de una concentración determinada de ácaros puede provocar manifestaciones alérgicas, principalmente respiratorias como la rinitis alérgica (estornudos repetidos, nariz congestionada, ojos llorosos) y asma.

Los ácaros se encuentran por todas partes, incluso en las casas más limpias. Se deben tomar las siguientes medidas para controlar su presencia:

- Reducir la humedad y el polvo del dormitorio.
- Mantener una temperatura adecuada, evitando el exceso de calor.
- Emplear fundas contra los ácaros en los colchones y las almohadas.
- La aspiradora es más eficaz para eliminarlos que la escoba, sobre todo las que tienen un filtro que retiene los alérgenos.
- Reducir las superficies con moqueta en casa.
- Ventilar las habitaciones por lo menos 20 minutos al día.
- Tener unha buena iluminación natural.

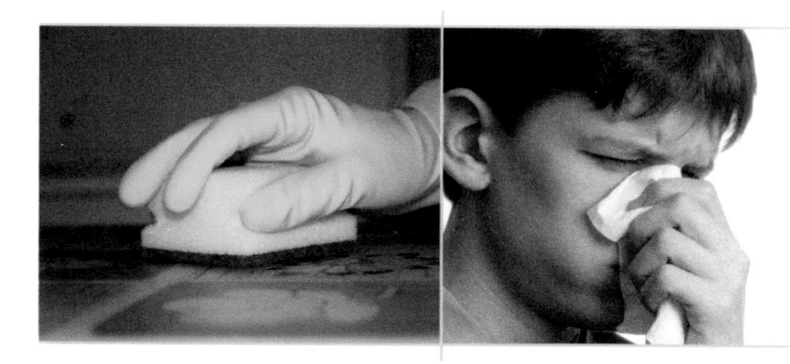

Higiene del estudio

Es muy importante alcanzar el hábito de estudio, que se debe incorporar a la rutina diaria. Es aconsejable hacer primero las tareas y después ir a jugar para poder divertirnos ya libres de preocupaciones.

No es bueno estudiar sólo en la víspera de los exámenes ya que es cuando se produce un mayor grado de estrés y puede provocar agotamiento y que no podamos concentrarnos en el estudio.

La postura de trabajo debe ser cómoda, sentándose con los pies planos en el suelo y con las piernas formando un ángulo de unos 90º con los muslos.

La silla debe ser regulable en altura y con unas dimensiones adecuadas para el tamaño de la persona. Debemos disponer de una mesa de trabajo con una altura que quede dos dedos por encima del codo. Deberá estar ordenada y sin cosas que nos distraigan.

Su iluminación debe ser correcta: la luz debe entrar por el lado contrario al que se escribe para no dar sombras. Una incorrecta iluminación produce fatiga visual ya que se fuerzan los músculos de los ojos al enfocar. Los libros deben situarse frente a la cara a la altura de los ojos y se evitará tener que mover la cabeza. Es por esto por lo que no se debe le-

Los ordenadores deberán usarse un tiempo limitado. Las pantallas deben estar a la altura de la vista.

er en vehículos en movimiento, ni tumbados en cama, ya que se fuerza la posición de la cabeza y se hace trabajar en exceso a los músculos de los ojos, que son muy débiles y se fatigan. La distancia de lectura debe ser de unos 40 cm. Si observamos que tenemos que aproximar o alejar los libros para leer bien, puede deberse a un problema de enfoque; entonces debemos revisar la vista.

En las escuelas debe haber un porcentaje de sillas para zurdos. Las mochilas y carteras escolares no deben sobrecargarse. Para evitarlo las escuelas deben estar dotadas de taquillas para evitar que los alumnos carguen con los libros de vuelta a casa. Es preferible emplear mochilas de ruedas, aunque son ruidosas y hagan tirar de un solo lado.

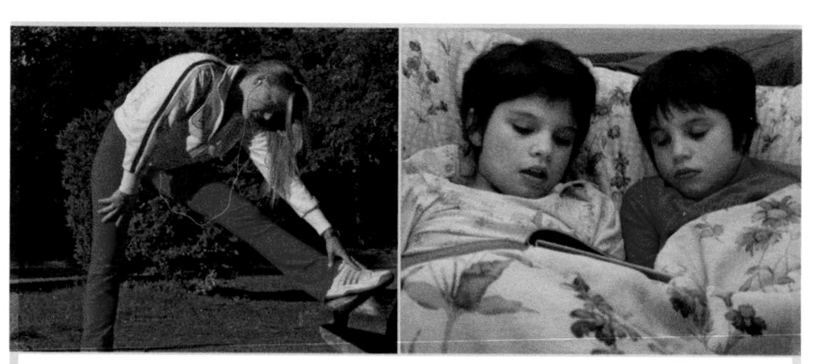

La higiene a diario

Es muy importante hacer ejercicio físico a lo largo de toda la vida ya que ayuda a que nos encontremos bien física y mentalmente, a que nos relacionemos con otras personas y ayuda a compensar la musculatura de la espalda cuando se está mucho tiempo sentado o inactivo. Se deben hacer ejercicios adecuados a la edad y no competitivos. Además de eso, es importante tomar una ducha después para limpiar el sudor.

Jugar es muy importante pero debemos llevar una ropa apropiada, cómoda y que se pueda ensuciar. Se deben lavar las manos después de jugar.

El descanso se debe organizar de manera que se tenga tiempo libre, procurando limitar el número de horas dedicadas a la televisión y a los videojuegos para que no quiten horas de descanso.

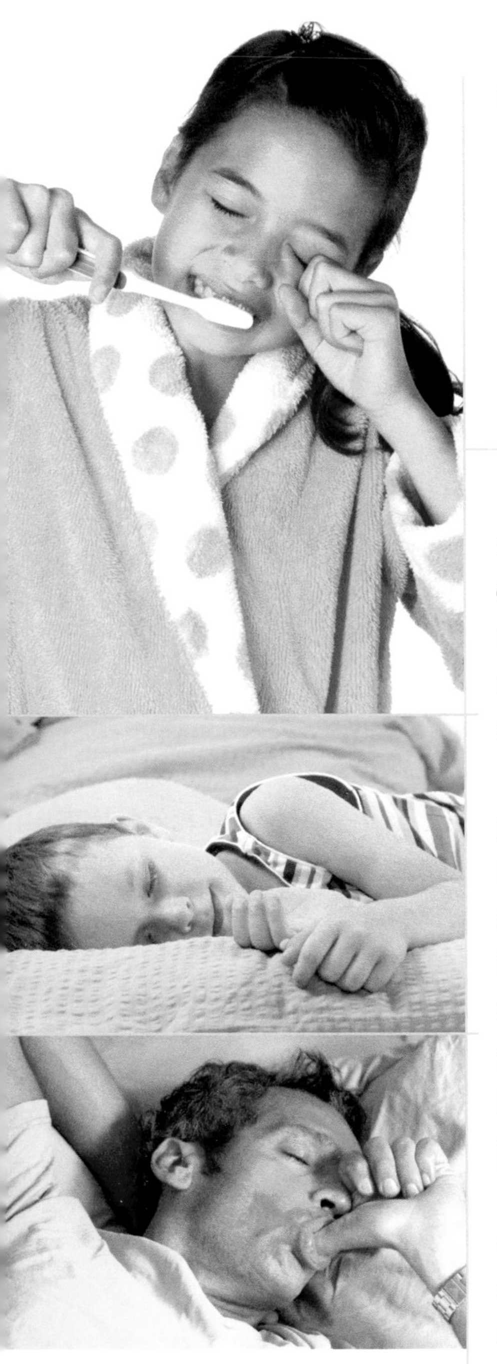

Sueño

El sueño es una parte importante del ciclo vital de las personas. Es un estado en el que el organismo descansa, reduciéndose todas las funciones corporales.

Se produce la relajación de los músculos y se reduce el consumo de oxígeno y de nutrientes, hay una menor necesidad de riego sanguíneo y disminuye la frecuencia cardíaca y respiratoria.

Durante el sueño todos los órganos de nuestro cuerpo descansan y se recuperan. Pero esto no ocurre si cenamos abundantemente o si nos metemos en cama inmedatamente después de cenar ya que el aparato digestivo va a seguir funcionando, no descansa y va a perturbar el sueño.

Las necesidades de sueño varían dependiendo del grado de actividad física realizada a lo largo del día. A más actividad física, mayor necesidad de descanso. También va a depender de la edad: los niños pequeños necesitan más tiempo para recuperarse; un recién nacido, cuando no come, pasa la mayor parte del tiempo durmiendo; para un niño de 4 a 8 años las necesidades de sueño son de 11 a 12 horas diarias; para uno de 8 a 10 años son unas 10 a 11 horas; para un niño de 10 a 13 años van de 9 a 10 horas mientras que para un adulto bastan unas 8 horas diarias.

Para que el sueño sea reparador se deben dar una serie de condiciones que faciliten conciliar el sueño: cenar al menos una hora antes de ir a cama (que la cena sea ligera); inmediatamente después lavar

los dientes; no tomar bebidas excitantes; acostarse siempre a la misma hora, antes de dormir reposar (ya que no se puede conciliar el sueño si estamos excitados jugando); hacer una lectura agradable; crear un ambiente apropiado sin ruidos; poca luz; buena oxigenación del cuarto, temperatura entre los 17 y 18° (aunque esto varía con las personas y la ropa de abrigo que utilicemos).

La cama debe ser dura y del tamaño adecuado, la almohada baja, la ropa de cama suficiente y ropa de dormir cómoda. Una vez metidos en cama, debemos evitar pensar en los problemas del día. Si tardamos en dormir, no debemos preocuparnos: estamos mejor descansando que levantándonos. Lo mellor es procurar mantener los ojos cerrados o leer algo aburrido, y no comer.

Higiene de los alimentos

Los alimentos mal manipulados pueden ser una importante fuente de microorganismos y producir importantes intoxicaciones alimenticias.

Los principales alimentos que pueden producir problemas son los huevos crudos y sus derivados (mayonesas, cremas) o el pollo, que pueden tener salmonela.

La Organización Mundial de la Salud es clara: "actualmente, no se puede proporcionar a los consumidores carne cruda ni aves ya que pueden contener agentes patógenos...". También en los productos lácteos puede haber muchos microorganismos.

Los principales peligros los constituyen los alimentos que se consumen crudos (carnes, pescados, mariscos y verduras).

Un parásito (el anisakis) está presente en la mayoría de los pescados (arenque, caballa, atún, sal-

En el frigorífico los alimentos crudos deben guardarse separados de los alimentos cocinados para evitar la contaminación cruzada. Cada alimento debe colocarse en el estante apropiado, en función de su temperatura de conservación.

món...) y pasa al hombre si consume el pescado crudo. También los pescados enlatados pueden producir botulismo, que es una intoxicación mortal. La mayor parte de los problemas por intoxicaciones alimentarias se deben a una mala manipulación por parte del usuario: no lavar las manos, no limpiar correctamente la cocina, el frigorífico, etc.

La prevención de estos problemas se basa en los siguientes cuidados:

- Mantenimiento de la cadena del frío en los alimentos y respetar las fechas de caducidad.
- No consumir productos crudos. Cocinar el pescado a 70°C o bien congelarlo durante algunos días a -20°C si se va a consumir crudo. Cocinar siempre las carnes.
- Lavar las frutas y verduras para eliminar los restos de pesticidas.
- Si las verduras se consumen crudas, debemos dejarlas unos minutos en agua con unas gotitas de lejía y luego aclarar.
- Consumir las mayonesas hechas en el día y conservadas en el refrigerador.
- Consumir leche pasteurizada.
- Lavar las manos antes y después de manipular alimentos.
- No se debe llenar en exceso el frigorífico para facilitar la circulación del aire frío.

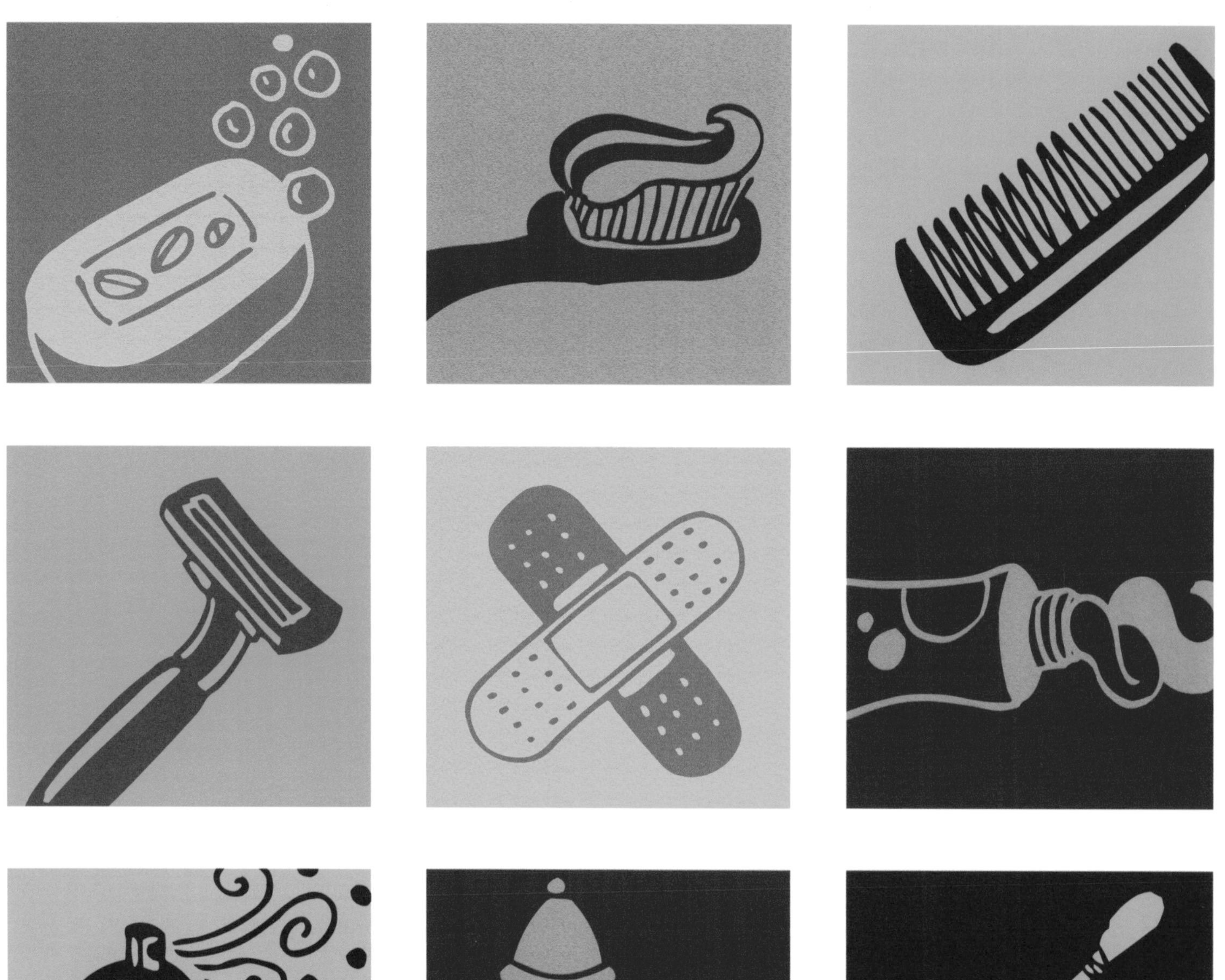

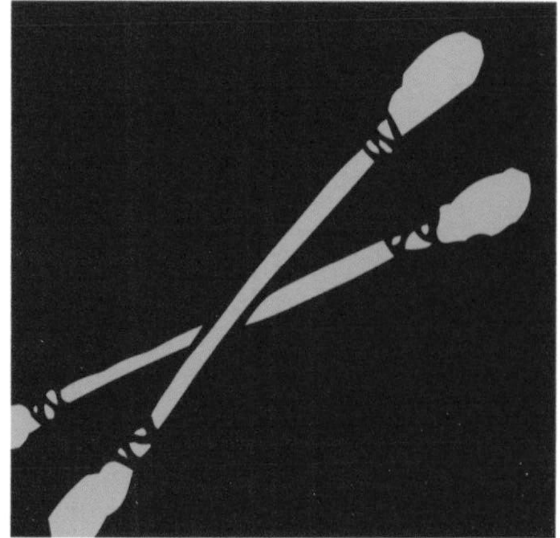

Este libro, que forma parte de la colección QUÉ ME DICES DE..., acabó de imprimirse en los talleres de Diumaró en septiembre de 2007.